200 desserts
savoureux

D0514164

200 desserts savoureux

Sara Lewis

marabout

Publié pour la première fois en Grande-Bretagne
en 2008 sous le titre *200 delicious desserts*

Traduit de l'anglais par Catherine Vandevyvere.
Mise en pages : les PAOistes.

Pour l'éditeur, le principe est d'utiliser des papiers
composés de fibres naturelles, renouvelables, recycla-
bles et fabriquées à partir de bois issus de forêts qui
adoptent un système d'aménagement durable.
En outre, l'éditeur attend de ses fournisseurs de papier
qu'ils s'inscrivent dans une démarche de certification
environnementale reconnue.

ISBN : 978-2-501-06220-6
Dépôt légal : juin 2009
40.2109.3 / 01
Imprimé en Espagne par Quebecor-Cayfosa

sommaire

introduction

Peu de gens savent résister à un dessert, ce délectable petit miracle capable de remonter le moral après une pénible journée de travail, de parer les coups de blues, de terminer en beauté un repas de fête ou de remplacer le traditionnel bouquet de fleurs offert aux amis. Parmi les 200 recettes présentées dans cet ouvrage, vous en découvrirez sûrement qui enchanteront vos papilles.

Ceux qui ont besoin de leur dose de chocolat pourront choisir entre l'irrésistible fondant aux deux chocolats (p.38) et sa sauce au chocolat blanc et le fondant gâteau au chocolat et aux marshmallows (p. 42). Les accros de pâtisseries pourront essayer la moelleuse tourte aux pommes et aux fruits rouges (p. 70) ou l'originale tourte soufflée aux pommes (p. 90). Ceux qui font attention à leur ligne pourront déguster sans scrupules les diverses gourmandises aux fruits frais, notamment la salade de fruits verts (p. 204).

À court de temps ? Trichez un peu en achetant de la pâte toute faite (brisée ou feuilletée) et impressionnez vos amis avec la jalousie aux nectarines et aux myrtilles (p. 64), la tarte aux cerises et à la crème frangipane (p. 82) ou la facile tarte meringuée au citron (p. 74). Encore plus simple : le fond de tarte en biscuits comme dans la banoffee pie (p. 108). Vous trouverez également un chapitre intitulé « Vite fait, bien fait », plein d'idées de desserts qui peuvent être réalisés en 10 à 20 minutes, notamment le sundae au tamarin et à la mangue (p. 200) ou les petites omelettes norvégiennes (p. 218).

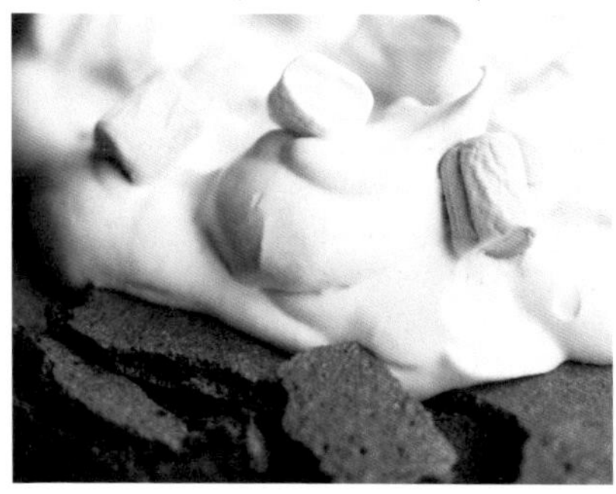

Si vous aimez préparer les choses à l'avance, essayez l'une ou l'autre recette du chapitre « Douceurs glacées », comme la tarte au citron vert et aux fruits de la passion (voir p. 164) ou le granité à la menthe (p. 180). Ces desserts glacés sont particulièrement appréciés après un barbecue au jardin ou un curry en hiver.

Si vous parvenez à dégager un peu de temps dans votre programme certainement très chargé, prenez la peine de vous mettre aux fourneaux : vous verrez que préparer un dessert maison est non seulement très gratifiant, mais aussi extrêmement délassant.

De la page 9 à la page 14, vous apprendrez quelques techniques utiles : fouetter des œufs et du sucre, incorporer des ingrédients, confectionner des meringues, garnir un moule avec de la pâte ou décorer une tourte.

Page 15, vous trouverez la recette de la pâte feuilletée et de la pâte brisée.

fouetter des œufs et du sucre

Pour préparer une mousse, un soufflé, un sabayon, un gâteau roulé ou une génoise, vous devrez fouetter ensemble des œufs et du sucre jusqu'à ce que le fouet laisse une trace dans la préparation. Vous vous simplifierez la vie en utilisant un batteur électrique et en posant le récipient contenant les œufs et le sucre au-dessus d'une casserole d'eau frémissante. L'eau chaude permet en effet d'accélérer le processus, augmentant le volume d'air emprisonné dans le mélange. Si vous ne pouvez chauffer la préparation au bain-marie, notamment si vous avez un mixeur avec bol intégré, le processus sera juste un peu plus long mais le résultat sera le même.

Comptez entre 8 et 10 minutes pour fouetter 3 œufs. Pour vérifier si le mélange est fouetté à point, sortez le fouet de la préparation et essayez de dessiner un zigzag avec ce qui tombe du fouet. Si le zigzag reste en surface pendant quelques secondes, c'est que le mélange est suffisamment fouetté.

fouetter de la crème fraîche

On a souvent tendance à trop fouetter la crème fraîche. L'astuce consiste à arrêter de fouetter dès que la crème commence à former des pointes souples, surtout qu'elle épaissira encore légèrement par la suite.

Lorsqu'elle est fouettée exagérément, la crème devient granuleuse et pâteuse, et elle donne du coup de moins bons résultats.

incorporer

Une fois que vous aurez fouetté vos ingrédients, vous devrez leur incorporer une purée de fruits, de la crème fraîche fouettée, du chocolat fondu ou de la farine tamisée, que ce soit pour réaliser un soufflé, une mousse ou une génoise.

À l'aide d'une grande cuillère, amalgamez les ingrédients en décrivant des 8 dans le mélange. Soyez le plus délicat possible pour éviter d'expulser de votre mélange tout l'air que vous avez essayé d'y incorporer !

préparer des meringues

Le récipient et le fouet doivent être parfaitement propres et secs. Si même une infime goutte de jaune d'œuf tombe dans les blancs, enlevez-la avec un morceau de coquille, sans quoi vos blancs ne monteront pas en neige.

1 Fouettez les blancs en neige très ferme. Pour vérifier qu'ils sont prêts, inclinez le saladier : si les blancs ne bougent pas, c'est que vous les avez suffisamment fouettés ; s'ils se mettent à glisser, c'est qu'il faut les fouetter encore un peu.

2 Incorporez progressivement le sucre, une cuillerée à café à la fois. Cela vous paraîtra peut-être long, mais c'est

la seule solution pour obtenir une pâte à meringues vraiment épaisse. Quand tout le sucre a été incorporé, continuez de fouetter pendant quelques minutes jusqu'à ce que le mélange soit ferme et satiné.

3 Façonnez les meringues en disposant des petits tas de pâte sur une plaque de cuisson recouverte de papier sulfurisé. Faites cuire au four en suivant les indications dans la recette, jusqu'à ce que les meringues soient croustillantes et qu'elles se détachent facilement du papier. Si elles collent au papier sulfurisé, c'est qu'elles ne sont pas assez cuites. Remettez-les 10 à 20 minutes au four, puis faites à nouveau le test.

travailler le chocolat

Pour faire fondre du chocolat, cassez-le en morceaux dans un bol puis faites chauffer 5 minutes au bain-marie en posant le récipient au-dessus d'une casserole d'eau à peine frémissante. Veillez à ce que l'eau ne soit pas en contact avec la base du bol.

Les copeaux de chocolat sont très décoratifs et très faciles à réaliser. Posez une barre de chocolat sur une planche à découper, côté lisse vers le haut. Raclez ensuite le chocolat à l'aide d'un épluche-légumes. Si les copeaux sont trop petits, passez le chocolat 10 secondes au micro-ondes (puissance maximale) puis essayez à nouveau. Moins le chocolat est dur, plus les copeaux seront grands.

garnir un moule avec de la pâte

Un moule à fond amovible facilite le démoulage.

1 Étaler la pâte au rouleau sur un plan de travail légèrement fariné jusqu'à obtention d'un disque un peu plus grand que le moule.

2 Soulevez le disque de pâte sur le rouleau puis déposez-le sur le moule. Pressez la pâte pour qu'elle chemise bien le fond et les bords du moule. Placez 15 minutes au réfrigérateur ou plus longtemps si vous avez le temps. Ce petit passage au frais réduira la rétraction de la pâte à la cuisson.

cuire à blanc

Cette expression étrange signifie simplement « cuire sans garniture ».

1 Posez le moule sur une plaque de cuisson. Piquez le fond avec une fourchette.

2 Posez une feuille de papier sulfurisé sur la pâte. Versez ensuite une bonne quantité de macaronis ou de haricots secs sur le papier pour empêcher la pâte de gonfler.

3 Faites cuire à 190 °C (th. 5) pendant 10 à 15 minutes, puis ôtez le papier et les macaronis (ou les haricots). Faites cuire la pâte encore 5 minutes jusqu'à ce que les bords soient dorés et que le fond soit sec et croustillant, ou 10 minutes si la garniture ne peut pas cuire.

couvrir et décorer une tourte : finition professionnelle

Les explications données ici sont valables aussi bien pour la pâte feuilletée que pour la pâte brisée.

1 Découpez une bandelette de pâte de la largeur de la bordure du moule. Badigeonnez d'eau, d'œuf battu ou de lait le pourtour du moule. Mettez la bandelette en place en soudant les extrémités. Le rebord du moule doit être entièrement recouvert de pâte.

2 Soulevez le reste de pâte sur le rouleau, puis déposez-le sur le moule. Soudez les bords en pressant la pâte avec vos doigts. Couper l'excédent de pâte à l'aide d'un petit couteau.

3 Faites des entailles sur tout le pourtour en donnant des petits coups de couteau dans la pâte. S'il s'agit de pâte feuilletée, ce procédé permet de séparer les feuilles de pâte et de favoriser la levée pendant la cuisson. S'il s'agit de pâte brisée, ces petites entailles donnent l'illusion de couches.

4 Festonnez le tour : posez l'index et le majeur au bord de la pâte puis faites une petite entaille verticale entre les deux doigts. Répétez cette opération sur tout le tour.

5 Badigeonnez la pâte avec un peu d'œuf battu ou de lait. Pour décorer la tourte avec des feuilles en pâte, étalez les chutes puis découpez une bandelette d'environ 2,5 cm de large. Découpez ensuite des losanges dans la bandelette. Marquez les nervures avec un couteau et tordez des extrémités de chaque feuille. Pressez ces feuilles sur le couvercle de pâte. Badigeonnez-les avec de l'œuf battu ou du lait.

6 Vous pouvez aussi découper toutes sortes de formes (cœurs, ronds, chiffres…), dans des chutes de pâte, à l'aide d'emporte-pièces. Pressez-les sur le couvercle de pâte et badigeonnez-les d'œuf battu ou de lait.

pâte brisée

Pâte rapide à préparer, idéale pour confectionner tartes et tourtes. La recette ci-dessous vous permettra d'obtenir un pâton de 450 g, ce qui est suffisant pour garnir un moule de 25 cm de diamètre.

250 g de **farine ordinaire** + un peu pour le plan de travail
25 g de **sucre glace**
125 g de **beurre doux** en parcelles
8 à 9 c. à c. d'**eau** froide

Versez la farine et le sucre dans un saladier. Ajoutez le beurre et travaillez le mélange du bout des doigts, jusqu'à ce qu'il soit grumeleux. Ajoutez 8 cuillerées à café d'eau froide et remuez avec un couteau à bout rond, jusqu'à ce que les grumeaux commencent à s'agglomérer. Pressez la pâte avec les mains, en ajoutant éventuellement une cuillerée à café d'eau, jusqu'à ce que la pâte forme une boule. Pétrissez brièvement le pâton sur un plan de travail légèrement fariné, puis placez-le 15 minutes au réfrigérateur, emballé dans du film plastique. Vous pouvez aussi l'étaler au rouleau, puis en garnir un moule que vous placerez ensuite au réfrigérateur. Cette petite halte au frais permet à la pâte de moins se rétracter à la cuisson.

pâte feuilletée simplifiée

Nous vous proposons ici une recette simplifiée qui vous permettra de confectionner une pâte légèrement friable, absolument exquise. Vous obtiendrez 500 g de pâte, soit la quantité nécessaire pour une tourte dans un plat d'une contenance d'1,2 l.

250 g de **farine** ordinaire + un peu pour le plan de travail
une pincée de **sel**
75 g de **margarine**
75 g de **beurre doux**
2 c. à c. de **jus de citron** jaune
5 à 6 c. à s. d'**eau** froide

Versez la farine et le sel dans un saladier. Ajoutez un quart de la margarine et un quart du beurre. Travaillez le mélange du bout des doigts, jusqu'à ce qu'il soit grumeleux. Ajoutez le jus de citron, puis un peu d'eau et remuez avec un couteau à bout rond jusqu'à obtention d'une pâte lisse mais pas collante. Pétrissez brièvement, puis étalez la pâte au rouleau sur un plan de travail légèrement fariné, jusqu'à obtention d'un rectangle d'environ 45 x 15 cm. Répartissez la moitié de la margarine et du beurre restants sur les deux tiers inférieurs du rectangle de pâte. Rabattez le tiers supérieur et le tiers inférieur pour enfermer la matière grasse. Soudez bien les bords en pressant la pâte avec les doigts, puis tournez celle-ci d'un quart de tour. Étalez à nouveau la pâte et parsemez-la de margarine et de beurre, puis rabattez les tiers inférieur et supérieur comme ci-dessus. Tournez-la d'un quart de tour puis étalez-la et pliez-la encore deux fois. Emballez-la dans du film alimentaire et placez-la 30 minutes au réfrigérateur.

douceurs d'hiver

gâteau soufflé au citron

Pour **4 personnes**
Préparation **20 minutes**
Cuisson **25 minutes**

75 g de **beurre doux**, à température ambiante
150 g de **sucre en poudre**
le **zeste** de 2 **citrons jaunes**
le **jus** d'un **citron jaune**
3 **œufs**, blancs et jaunes séparés
50 g de **farine à levure incorporée**
300 ml de **lait**
sucre glace pour décorer (facultatif)

Beurrez légèrement un plat allant au four (contenance 1,2 l), puis posez-le dans un plat à gratin. Mettez le reste de beurre dans un récipient, avec le sucre et le zeste de citron. Dans un saladier, fouettez les blancs d'œufs en neige souple. Avec le même fouet, fouettez le beurre, le sucre et le zeste jusqu'à obtention d'un mélange léger. Incorporez la farine et les jaunes d'œufs.

Versez progressivement le lait et le jus de citron, et remuez brièvement.

Incorporez délicatement les blancs d'œufs, puis versez la préparation dans le plat beurré. Versez de l'eau chaude dans le plat à gratin, jusqu'à mi-hauteur.

Faites cuire dans un four préchauffé à 190 °C pendant environ 25 minutes, jusqu'à ce que le gâteau ait monté légèrement, qu'il soit bien doré et que le dessus ait commencé à se craqueler. Plongez la lame d'un couteau au centre du gâteau : les deux tiers supérieurs doivent avoir la consistance d'un soufflé tandis que le tiers inférieur doit être crémeux. Si le centre est trop mou, poursuivez la cuisson 5 minutes.

Saupoudrez légèrement de sucre glace (facultatif) et servez aussitôt dans des ramequins.

Pour une variante au Grand Marnier, remplacez le zeste des citrons par celui d'une grosse orange, et le jus de citron par 3 cuillerées à soupe de Grand Marnier. Faites cuire comme indiqué ci-dessus.

poires rôties aux épices orientales

Pour **4 personnes**
Préparation **20 minutes**
Cuisson **25 minutes**

4 **poires**
8 c. à s. de **xérès** sec ou doux
8 c. à s. d'**eau**
6-8 **étoiles d'anis**
1 **bâton de cannelle**
8 **clous de girofle**
8 **gousses de cardamome** écrasées
50 g de **beurre doux**
4 c. à s. de **sucre de canne blond**
1 **orange**

Coupez les poires en deux sans les peler. Retirez les trognons, puis disposez-les dans un plat à gratin, côté coupé vers le haut. Versez le xérès dans les creux laissés par les trognons, et l'eau dans le fond du plat. Répartissez les épices sur les poires. Parsemez de parcelles de beurre puis saupoudrez de sucre.

Prélever le zeste d'orange et répartissez-le dans le plat. Coupez l'orange en morceaux et pressez le jus au-dessus des poires. Déposez les quartiers d'orange pressés dans le fond du plat.

Faites cuire 25 minutes dans un four préchauffé à 180°C, jusqu'à ce que les poires soient fondantes et qu'elles commencent à dorer. Arrosez les poires à mi-cuisson et en fin de cuisson, avec le jus.

Répartissez les poires dans des coupelles, arrosez de jus et servez avec de la crème fraîche ou du yaourt grec.

Pour une variante poivrée aux pommes, coupez 4 pommes en deux, retirez le trognon puis disposez-les dans un plat à gratin, côté coupé vers le haut. Versez 200 ml de cidre sur les fruits. Parsemez-les d'1 cuillerée à café de grains de poivre multicolores. Ajoutez un bâton de cannelle cassé en morceaux. Parsemez de parcelles de beurre et saupoudrez de sucre. Prélevez le zeste d'un citron pour décorer. Coupez le citron en quartiers, pressez le jus sur les pommes et déposez les quartiers pressés dans le fond du plat. Faites cuire comme ci-dessus.

petits moelleux sauce caramel

Pour **8 personnes**
Préparation **20 minutes**
Cuisson **45 à 50 minutes**

125 g de **dattes** séchées dénoyautées et hachées
150 ml d'**eau**
125 g de **beurre doux** en pommade
125 g de **sucre en poudre**
1 c. à c. d'**extrait de vanille**
3 **œufs**
175 g de **farine à levure incorporée**
1 c. à c. de **levure chimique**

Sauce caramel
300 ml de **crème fraîche**
125 g de **sucre roux**
50 g de **beurre doux**

Mettez les dattes dans une petite casserole, versez l'eau et laissez frémir 5 minutes à feu doux, jusqu'à ce que les dattes soient tendres. Réduisez le mélange en purée et laissez refroidir.

Préparez la sauce. Faites chauffer la moitié de la crème dans une petite casserole, avec le sucre et le beurre, jusqu'à ce que le sucre soit dissous. Portez à ébullition et laissez bouillonner 5 minutes, jusqu'à ce qu'il dore. Incorporez le reste de crème et réservez.

Huilez 8 petits moules à moelleux (contenance 200 ml) et tapissez le fond de papier sulfurisé. Dans un bol, fouettez le beurre, le sucre, l'extrait de vanille, les œufs, la farine et la levure pendant 1 à 2 minutes jusqu'à obtention d'un mélange blanc et crémeux. Incorporez la purée de dattes.

Répartissez la préparation dans les moules et posez-les dans un plat à gratin. Versez de l'eau bouillante dans le plat, sur une hauteur de 1,5 cm. Recouvrez de papier aluminium. Faites cuire 35 à 40 minutes dans un four préchauffé à 180 °C.

Laissez les moelleux dans les moules pendant que vous réchauffez la sauce. Quand la sauce est chaude, démoulez les moelleux sur des assiettes. Nappez de sauce et servez avec de la crème fraîche ou de la glace.

croissants chauds au chocolat

Pour **4 personnes**
Préparation **20 minutes**
+ repos
Cuisson **25 minutes**

4 **croissants** au chocolat
50 g de **beurre** doux
50 g de **sucre en poudre**
¼ c. à c. de « **mixed spices** »
ou de **quatre-épices**
300 ml de **lait**
4 **œufs**
1 c. à c. d'**extrait de vanille**
sucre glace pour décorer

Beurrez un moule rond peu profond (contenance 1,2 l). Coupez les croissants en tranches épaisses. Beurrez les tranches sur une face. Reconstituez les croissants et disposez-les dans le plat, serrés les uns contre les autres.

Mélangez le sucre avec les épices. Répartissez ce mélange sur les croissants. Posez le moule dans un grand plat à gratin.

Dans un bol, fouettez ensemble le lait, les œufs et l'extrait de vanille. Filtrez ce mélange au-dessus des croissants. Laissez reposer 15 minutes.

Versez de l'eau chaude dans le plat à gratin, jusqu'à mi-hauteur du moule. Faites cuire environ 25 minutes dans un four préchauffé à 180°C, jusqu'à ce que le dessus soit doré et que la crème ait épaissi.

Sortez le moule du plat à gratin, saupoudrez de sucre glace tamisé. Servez sans tarder, avec un peu de crème liquide.

Pour une variante aux fruits, beurrez légèrement 8 tranches de pain blanc. Coupez les tranches en triangles que vous disposerez dans un plat, en plusieurs couches. Parsemez 75 g de fruits secs entre les couches. Ajoutez le sucre comme ci-dessus, mais supprimez les épices. Dans un bol, mélangez ensemble les œufs, le lait et la vanille. Versez ce mélange sur le pain et poursuivez comme indiqué ci-dessus.

trifle chaud mûres pommes

Pour **4 personnes**
Préparation **20 minutes**
+ refroidissement
Cuisson **20 à 25 minutes**

150 g de **mûres** fraîches ou surgelées
2 **pommes** non pelées, sans le trognon, coupées en tranches
1 c. à s. d'**eau**
50 g de **sucre en poudre**
100 g de **génoise** ou de **biscuit de Savoie**
3 c. à s. de **xérès** sec ou doux
425 g de **crème pâtissière** prête à l'emploi

Meringue
3 **blancs d'œufs**
75 g de **sucre en poudre**

Versez les mûres, les pommes, l'eau et le sucre dans une casserole. Couvrez et laissez mijoter 5 minutes, jusqu'à ce que les fruits soient tendres. Laissez refroidir légèrement.

Coupez la génoise (ou les biscuits de Savoie) en gros morceaux. Répartissez les morceaux dans le fond d'un moule à soufflé (contenance 1,2 l). Arrosez de xérès. Répartissez les fruits pochés et le sirop sur la génoise. Nappez de crème pâtissière.

Fouettez les blancs d'œufs en neige ferme dans un grand récipient parfaitement propre et sec. Ajoutez progressivement le sucre (une cuillerée à café à la fois), jusqu'à ce que la préparation soit bien ferme et satinée (voir p. 10). Répartissez cette meringue sur la crème. Faites des pointes avec le dos d'une cuillère.

Faites cuire 15 à 20 minutes dans un four préchauffé à 180 °C, jusqu'à ce que le trifle soit chaud et que la meringue soit dorée. Servez aussitôt.

Pour un dessert aux pommes meringuées, pelez 8 pommes, ôtez le trognon et coupez-les en tranches épaisses. Faites-les chauffer à feu doux, avec le jus et le zeste râpé d'un citron jaune, 4 clous de girofle et 25 g de sucre en poudre, jusqu'à ce qu'elles soient fondantes. Versez les pommes dans un plat allant au four (contenance 1,2 l). Préparez la meringue comme ci-dessus, en ajoutant ¼ de cuillerée à café de cannelle en poudre en même temps que le sucre. Étalez cette meringue sur les fruits, puis faites cuire comme ci-dessus. Servez dès la sortie du four.

soufflés à la vanille et coulis d'abricots

Pour **8 personnes**
Préparation **25 minutes**
Cuisson **25 minutes**

75 g de **sucre en poudre** + quelques pincées pour décorer
200 g d'**abricots secs**, hachés grossièrement
125 ml d'**eau** + 1 c. à s.
3 c. à s. de **fécule de maïs**
5 c. à s. de **Cointreau** ou une autre liqueur à l'orange
150 ml de **lait**
1 c. à c. d'**extrait de vanille**
125 ml de **crème fraîche**
4 **œufs**, blancs et jaunes séparés
sucre glace pour décorer

Huilez 8 ramequins puis saupoudrez-les légèrement de sucre en poudre. Mettez les abricots et l'eau dans une petite casserole. Faites mijoter 3 minutes à feu doux jusqu'à ce que les fruits soient tendres. Mélangez ½ cuillerée à café de fécule de maïs et 1 cuillerée à soupe d'eau. Versez ce mélange dans la casserole et poursuivez la cuisson 1 minute, jusqu'à épaississement.

Versez la préparation dans un robot ou dans le bol d'un mixeur. Ajoutez la liqueur et mixez jusqu'à obtention d'un mélange lisse. Répartissez ce mélange dans les ramequins.

Délayez le reste de fécule avec un peu de lait dans une casserole. Ajoutez le reste de lait et faites chauffer à feu doux, en remuant constamment, jusqu'à épaississement. Incorporez 50 g de sucre en poudre, l'extrait de vanille, la crème fraîche et les jaunes d'œufs. Transvasez le mélange dans un grand saladier.

Fouettez les blancs d'œufs en neige ferme, puis incorporez-leur progressivement le reste de sucre. À l'aide d'une grande cuillère métallique, incorporez délicatement les blancs d'œufs à la crème.

Répartissez la pâte dans les ramequins. Déposez ces derniers sur une plaque de cuisson. Faites cuire 20 minutes dans un four préchauffé à 200 °C, jusqu'à ce que les soufflés aient bien gonflé. Saupoudrez de sucre glace tamisé et servez aussitôt.

gâteau roulé à la confiture

Pour **6 personnes**
Préparation **25 minutes**
Cuisson **2 heures**

300 g de **farine à levure incorporée**
1 c. à c. de **levure chimique**
150 g de **margarine végétale**
75 g de **sucre en poudre**
50 g de **chapelure** fraîche
le **zeste** finement râpé d'un **citron jaune**
le **zeste** finement râpé d'une **orange**
1 **œuf** battu
175-200 ml de **lait**
6 c. à s. de **confiture de framboises**
150 g de **framboises** surgelées, à peine décongelées

Mélangez la farine, la levure, la margarine et le sucre dans un récipient. Ajoutez la chapelure et le zeste des agrumes. Incorporez l'œuf, puis versez suffisamment de lait de manière à obtenir une pâte lisse mais pas collante.

Pétrissez légèrement la pâte, puis étalez-la au rouleau de manière à obtenir un carré de 30 cm. Garnir la pâte de confiture, jusqu'à 2,5 cm des bords. Parsemez de framboises. Badigeonnez le pourtour avec un peu de lait puis enroulez le gâteau. Emballez le roulé dans un grand morceau de papier sulfurisé, sans serrer, de manière à ce que la pâte puisse gonfler. Emballez ensuite le tout dans du papier aluminium.

Déposez le gâteau sur une grille. Posez ensuite la grille au-dessus d'un grand plat à gratin. Versez de l'eau bouillante dans le plat, sans toucher la grille. Recouvrez hermétiquement l'ensemble avec du papier aluminium. Faites cuire 2 heures dans un four préchauffé à 150 °C, jusqu'à ce que le gâteau ait bien gonflé. Pendant la cuisson, soulevez une ou deux fois le papier aluminium et ajoutez éventuellement de l'eau dans le plat.

Posez le roulé sur une planche à découper, avec un torchon de cuisine. Déballez le roulé, puis coupez-le en tranches épaisses. Servez avec de la crème anglaise chaude.

flan meringué aux abricots

Pour **6 personnes**
Préparation **25 minutes**
+ repos
Cuisson **35 à 45 minutes**

600 ml de **lait**
le **zeste** râpé de 2 **citrons jaunes**
50 g de **beurre doux**
175 g de **sucre en poudre**
100 g de **chapelure** fraîche
4 **œufs**, blancs et jaunes séparés
4 c. à s. de **confiture d'abricots**
125 g d'**abricots secs** coupés en morceaux

Versez le lait dans une casserole. Ajoutez le zeste de citron et faites chauffer. Aux premiers bouillons, retirez la casserole du feu. Ajoutez le beurre et 50 g de sucre. Mélangez et ajoutez la chapelure. Laissez reposer 15 minutes.

Incorporez les jaunes d'œufs à la préparation au lait. Versez le mélange dans un moule à tourte huilé (contenance 1,5 l). Faites cuire 20 à 25 minutes dans un four préchauffé à 180 °C.

Étalez la confiture sur la crème cuite. Parsemez d'abricots secs. Fouettez les blancs d'œufs en neige ferme. Ajoutez-leur progressivement le reste de sucre, en fouettant jusqu'à ce que le mélange devienne épais et satiné (voir p. 10). Répartissez cette meringue sur la confiture.

Enfournez 15 à 20 minutes, jusqu'à ce que la meringue soit dorée et cuite. Servez dès la sortie du four.

Pour une variante aux fruits rouges, faites chauffer le lait en remplaçant le zeste des citrons par ¼ de cuillerée à café de noix de muscade râpée. Ajoutez le beurre, la chapelure et 125 g de sucre. Incorporez les jaunes d'œufs. Fouettez les blancs d'œufs en neige sans leur ajouter de sucre, et incorporez-les à la préparation au lait. Étalez 4 cuillerées à soupe de confiture de fraises ou de framboises dans le fond du moule. Versez la crème sur la confiture et faites cuire comme ci-dessus pendant 30 à 35 minutes.

pudding vapeur à la mangue

Pour **6 personnes**
Préparation **20 minutes**
+ repos
Cuisson **1 h 40**

1 **mangue** de taille moyenne, coupée en morceaux
2 c. à s. de **sirop de vanille** maison (voir ci-dessous) ou prêt à l'emploi + 1 filet pour décorer
125 g de **beurre doux** en pommade
125 g de **sucre en poudre**
1 c. à c. d'**extrait de vanille**
2 **œufs**
175 g de **farine à levure incorporée**
4 c. à s. de **noix de coco** séchée non sucrée
1 c. à s. de **lait**

Huilez un moule à pudding et déposez dans le fond un rond de papier sulfurisé. Répartissez les dés de mangue et arrosez de sirop de vanille.

Mettez le beurre, le sucre, l'extrait de vanille, les œufs et la farine dans un récipient. Fouettez pendant 1 ou 2 minutes. Incorporez la noix de coco et le lait, puis versez la préparation dans le moule.

Recouvrez le moule avec une double épaisseur de papier sulfurisé. Attachez le papier en nouant une ficelle sous le rebord du moule. Recouvrez le tout de papier aluminium. Scellez bien le pourtour en repliant l'aluminium sous le rebord du moule.

Posez le moule dans un cuit-vapeur ou dans une grande marmite que vous remplissez d'eau bouillante jusqu'à mi-hauteur. Fermez hermétiquement. Laissez cuire à feu doux pendant 1 h 40. Laissez reposer 10 minutes.

Démoulez le pudding sur un plat de service et arrosez-le avec un filet de sirop de vanille.

Pour un sirop de vanille maison, faites chauffer à feu doux 150 g de sucre en poudre et 125 ml d'eau. Portez à ébullition et maintenez l'ébullition pendant 6 à 8 minutes. Plongez aussitôt le fond de la casserole dans l'eau froide pour stopper la cuisson. Ajoutez 125 ml d'eau chaude et 2 gousses de vanille fendues en deux. Faites chauffer jusqu'à obtention d'un mélange homogène. Laissez refroidir et versez le sirop dans une bouteille.

pudding vapeur aux pommes

Pour **4 personnes**
Préparation **20 minutes**
Cuisson **2 heures**

125 g de **beurre doux**
4 c. à s. de **mélasse**
2 **pommes** (environ 500 g) pelées, sans le trognon
100 g de **sucre en poudre**
2 **œufs** battus
200 g de **farine à levure incorporée**
le **zeste** râpé d'une **orange** et 3 c. à s. de **jus**

Huilez légèrement un moule à charlotte (contenance 1,2 l) et déposez dans le fond, un rond de papier sulfurisé. Versez la mélasse dans le moule. Coupez une des pommes en tranches épaisses que vous disposerez dans le fond du moule, sur la mélasse. Râpez grossièrement l'autre pomme.

Travaillez le beurre et le sucre dans un saladier, jusqu'à obtention d'un mélange blanc et crémeux. Ajoutez progressivement les œufs et la farine (une cuillerée à soupe à la fois), en alternant ces deux ingrédients, jusqu'à obtention d'un mélange lisse.

Incorporez la pomme râpée, le zeste et le jus d'orange, puis versez cette pâte dans le moule. Égalisez la surface et recouvrez le moule avec un morceau de papier sulfurisé, puis une feuille d'aluminium. Attachez les papiers en nouant une ficelle sous le rebord du moule. Confectionnez une poignée avec la ficelle.

Glissez le moule dans le panier supérieur d'un cuit-vapeur, couvrez et laissez cuire 2 heures jusqu'à ce que le pudding ait bien gonflé. Vérifiez la cuisson en plongeant la lame d'un couteau au centre du gâteau : elle doit en ressortir sèche.

Retirez le papier sulfurisé et l'aluminium, détachez le pudding des parois du moule, puis démoulez-le sur un plat de service avec un rebord. Servez aussitôt avec de la crème anglaise ou de la glace.

fondants aux deux chocolats

Pour **6 personnes**
Préparation **25 minutes**
Cuisson **18 à 20 minutes**

125 g de **beurre doux** ou de **margarine**, à température ambiante
125 g de **sucre de canne blond**
100 g de **farine à levure incorporée**
15 g de **cacao en poudre**
2 **œufs**
75 g ou 12 carrés de **chocolat noir**

Sauce au chocolat blanc
100 g de **chocolat blanc** cassé en morceaux
150 ml de **crème fraîche**
¼ c. à c. d'**extrait de vanille**

Mettez le beurre (ou la margarine), le sucre, la farine, le cacao et les œufs dans un robot ou dans un saladier, et fouettez jusqu'à obtention d'un mélange lisse. Répartissez la pâte dans les 6 alvéoles huilées d'un moule à grands muffins. Enfoncez 2 carrés de chocolat noir au centre de chaque gâteau. Recouvrez le chocolat avec la pâte.

Faites cuire 18-20 minutes dans un four préchauffé à 180 °C, jusqu'à ce que les fondants aient bien gonflé, que les bords soient légèrement croustillants et que le centre soit souple au toucher.

Pendant ce temps, faites chauffer le chocolat blanc dans une petite casserole, avec la crème et l'extrait de vanille. Remuez jusqu'à ce que le chocolat soit complètement fondu.

Détachez les fondants des parois des moules à l'aide d'un couteau à bout rond. Démoulez ensuite les petits fondants dans des coupelles. Arrosez de sauce au chocolat blanc et servez aussitôt.

Pour des fondants aux noix et au chocolat, supprimez le cacao en poudre et mélangez le beurre, le sucre et les œufs avec 125 g de farine à levure incorporée, 50 g de noix grossièrement hachées et 2 cuillerées à café rases de café instantané diluées dans 3 cuillerées à café d'eau bouillante. Répartissez cette pâte dans les moules à muffins et enfoncez 2 carrés de chocolat noir dans la pâte, comme indiqué ci-dessus. Faites cuire au four et servez avec de la crème liquide.

pudding au riz et aux raisins secs

Pour **4 personnes**
Préparation **10 minutes**
+ repos
Cuisson **2 heures**

50 g de **raisins secs**
2 c. à s. de **vin doux**
(Pedro Ximénez, madère
ou xérès doux)
25 g de **beurre doux**
coupé en parcelles
65 g de **riz rond**
25 g de **sucre en poudre**
600 ml de **lait**
une grosse pincée de **noix muscade** râpée
et de **cannelle en poudre**

Faites chauffer les raisins secs et le vin doux dans une petite casserole. Vous pouvez aussi passer les raisins et le vin 30 secondes au micro-ondes (puissance maximale). Laissez tremper au moins 30 minutes.

Huilez un moule à tourte (contenance 900 ml). Versez le riz et le sucre dans le moule. Ajoutez les raisins et le vin, et terminez avec le lait. Parsemez de parcelles de beurre et saupoudrez de noix muscade et de cannelle.

Faites cuire 2 heures dans un four préchauffé à 150 °C, jusqu'à ce que le dessus soit doré, que le riz soit fondant et le lait crémeux. Répartissez ce pudding dans des bols. Servez de la crème épaisse en accompagnement.

Pour un pudding traditionnel, supprimez les raisins secs et le vin doux. Versez le riz et le sucre dans le moule huilé. Ajoutez 450 ml de lait et 150 ml de crème fraîche. Parsemez de parcelles de beurre comme ci-dessus, puis saupoudrez de noix muscade fraîchement râpée. Faites cuire au four et servez avec des cuillerées de confiture de fraises.

gâteau au chocolat et aux marshmallows

Pour **8 personnes**
Préparation **40 minutes**
+ refroidissement
Cuisson **25 à 30 minutes**

200 g de **chocolat noir** cassé en morceaux
100 g de **beurre doux**
5 **œufs**, blancs et jaunes séparés
175 g de **sucre en poudre**
2 c. à s. de **farine** ordinaire tamisée
½ c. à c. de **cannelle en poudre**
2 c. à s. d'**eau** chaude
300 ml de **crème fraîche**
125 g de mini **marshmallows** roses et blancs

Faites fondre le chocolat et le beurre au bain-marie.

Fouettez les blancs d'œufs en neige ferme. Incorporez-leur progressivement la moitié du sucre sans cesser de fouetter, jusqu'à obtention d'un mélange épais et satiné. Avec le même fouet, fouettez ensemble les jaunes d'œufs et le reste de sucre, jusqu'à épaississement.

Incorporez progressivement le chocolat fondu au mélange jaunes d'œufs-sucre. Ajoutez la farine et la cannelle. Fluidifiez la préparation en ajoutant l'eau chaude. Incorporez délicatement une première cuillerée de blancs en neige puis ajoutez le reste de blancs.

Huilez un moule à bord amovible de 23 cm et tapissez le fond de papier sulfurisé. Versez la pâte dans le moule. Faites cuire 25-30 minutes dans un four préchauffé à 180 °C jusqu'à ce que le gâteau ait bien gonflé.

Démoulez et ôtez le papier sulfurisé. Coupez le gâteau en quartiers. Fouettez légèrement la crème fraîche. Déposez des cuillerées de crème fouettée sur les parts de gâteau et décorez avec quelques petits marshmallows.

Pour un gâteau aux fruits secs, ajoutez 100 g de fruits secs hachés (pistaches, noisettes et amandes) après la farine et la cannelle. Remplacez les marshmallows par 4 cuillerées à soupe d'amandes effilées grillées.

gâteau tatin à la banane et au gingembre

Pour **6 personnes**
Préparation **25 minutes**
Cuisson **30 minutes**

4 c. à s. de **mélasse**
+ un peu pour décorer
4 c. à s. de **sucre de canne blond**
3 grosses **bananes** coupées en deux dans la longueur
le **jus** d'un **citron jaune**

Gâteau au gingembre
100 g de **beurre doux**
100 g de **sucre de canne blond**
75 g de **mélasse**
2 **œufs**
4 c. à s. de **lait**
175 g de **farine complète**
1 c. à c. de **bicarbonate de soude**
2 c. à c. de **gingembre en poudre**

Huilez un plat à gratin rectangulaire (23 x 18 cm). Tapissez le fond de papier sulfurisé. Versez la mélasse et le sucre dans le fond du plat. Tournez les bananes dans le jus de citron, puis disposez-les dans le fond du plat, côté coupé vers le bas.

Préparez le gâteau au gingembre. Faites fondre le beurre, le sucre et la mélasse à feu doux, en remuant. Retirez la casserole du feu.

Dans un bol, fouettez les œufs avec le lait. Dans un autre bol, mélangez ensemble la farine, le bicarbonate et le gingembre. Versez progressivement le mélange œufs-lait dans la casserole, puis le mélange farine-bicarbonate-gingembre. Fouettez jusqu'à obtention d'un mélange lisse.

Versez cette pâte sur les bananes puis faites cuire 30 minutes dans un four préchauffé à 180°C jusqu'à ce que le gâteau ait bien gonflé et que le centre soit souple au toucher.

Laissez refroidir 5 minutes puis détachez les bords du gâteau des parois du plat. Démoulez le gâteau sur un grand plat de service avec un rebord. Ôtez le papier sulfurisé, puis coupez le gâteau en portions. Arrosez avec un filet de mélasse ou servez avec de la crème anglaise.

carrés aux poires et aux noisettes

Pour **6 personnes**
Préparation **25 minutes**
Cuisson **25 minutes**

125 g de **beurre doux** ou de **margarine** à température ambiante
125 g de **sucre en poudre**
125 g de **farine à levure incorporée**
2 **œufs**
1 c. à c. de **cannelle en poudre**
75 g de **noisettes** hachées grossièrement
3 **poires** pelées, sans le trognon et coupées en 8 quartiers
sucre glace pour décorer

Sauce aux mûres
250 g de **mûres**
25 g de **sucre en poudre**
4 c. à s. d'**eau**

Mettez le beurre (ou la margarine), le sucre, la farine, les œufs et la cannelle dans un robot ou dans un saladier, et fouettez jusqu'à obtenir un mélange lisse. Incorporez 50 g de noisettes hachées. Huilez un plat à gratin rectangulaire (23 x 18 cm) et tapissez le fond de papier sulfurisé. Versez la pâte dans le moule. Égalisez la surface.

Éparpillez les quartiers de poires sur la pâte, sans chercher à les aligner. Parsemez de noisettes. Faites cuire 25 minutes dans un four préchauffé à 180 °C jusqu'à ce que le dessus soit bien doré et que le gâteau soit bien gonflé et souple au toucher.

Faites cuire 150 g des mûres 5 minutes dans une casserole, avec le sucre et l'eau, jusqu'à ce qu'elles soient tendres. Réduisez-les en purée lisse. Coupez le gâteau en portions. Saupoudrez de sucre glace tamisé, arrosez de sauce aux mûres.

Pour un carré aux pommes sauce chocolat, remplacez la cannelle et les noisettes par le zeste râpé d'une demi-orange. Remplacez les poires par des pommes que vous éparpillerez sur la pâte. Faites cuire comme ci-dessus. Faites chauffer 4 cuillerées à soupe de pâte à tartiner chocolatée dans une petite casserole, avec 6 cuillerées à soupe de lait jusqu'à obtention d'une sauce fluide. Coupez le gâteau en portions. Saupoudrez de sucre glace tamisé, arrosez de sauce et servez sans laisser refroidir.

soufflés aux abricots

Pour **4 personnes**
Préparation **15 minutes**
+ repos
Cuisson **25 minutes**

50 g de **farine** ordinaire
2 c. à s. de **sucre** en poudre
le **zeste** râpé d'½ **citron jaune**
40 g de **beurre doux**
1 **œuf**
1 **jaune d'œuf**
quelques gouttes d'**extrait de vanille**
75 ml de **lait**
75 ml d'**eau**
1 boîte (410 g) d'**abricot** égouttés
sucre glace pour décorer

Tamisez la farine au-dessus d'un saladier. Ajoutez le sucre et le zeste de citron. Faites fondre 25 g de beurre. Ajoutez le beurre fondu à la farine, avec l'œuf entier, le jaune d'œuf et l'extrait de vanille. Incorporez progressivement le lait et l'eau en fouettant, jusqu'à obtention d'une pâte lisse. Laissez reposer au moins 30 minutes.

Beurrez généreusement 4 petits moules à soufflé métalliques (contenance 200 ml) avec le beurre restant. Coupez les abricots en morceaux et répartissez dans les moules. Posez les moules sur une plaque de cuisson puis faites cuire 5 minutes dans un four préchauffé à 190 °C.

Sortez les moules du four et versez aussitôt la pâte de manière à ce qu'elle grésille dans le beurre brûlant. Faites cuire environ 20 minutes jusqu'à ce que les petits soufflés soient bien gonflés et dorés. Saupoudrez de sucre glace tamisé et servez aussitôt, avant que les soufflés retombent.

Pour des soufflés aux cerises, remplacez le zeste de citron par le zeste râpé d'une demi-orange, et les abricots par un bocal (350 g) de griottes au sirop égouttées. Répartissez les cerises dans les moules. Faites cuire les fruits puis ajoutez la pâte comme ci-dessus.

crumble aux fruits du verger

Pour **6 personnes**
Préparation **20 minutes**
Cuisson **30 à 35 minutes**

2 **pommes**
2 **poires**
400 g de **prunes rouges** coupées en quatre et dénoyautées
2 c. à s. d'**eau**
75 g de **sucre en poudre**
100 g de **farine** ordinaire
50 g de **beurre doux**
50 g de **noix de coco** séchée
50 g de **pépites de chocolat au lait**

Pelez les pommes et les poires, enlevez le trognon et coupez-les en quartiers. Coupez les quartiers en tranches que vous disposerez dans le fond d'un plat à tourte (contenance 1,2 l). Ajoutez les prunes et l'eau, puis saupoudrez avec 25 g de sucre. Couvrez le plat avec du papier aluminium et faites cuire 10 minutes dans un four préchauffé à 180 °C.

Versez le sucre restant dans un saladier, avec la farine et le beurre. Travaillez le mélange du bout des doigts ou à l'aide d'un batteur électrique, jusqu'à obtention d'un mélange grumeleux. Incorporez la noix de coco et les pépites de chocolat.

Retirez le papier aluminium du plat. Répartissez le crumble sur les fruits. Faites cuire 20-25 minutes jusqu'à ce que le dessus soit doré et que les fruits soient moelleux. Servez chaud avec de la crème anglaise ou de la crème fraîche.

Pour un crumble aux prunes et à l'orange, mettez 750 g de prunes dénoyautées et coupées en quartiers dans un plat à tourte (contenance 1,2 l) avec 50 g de sucre en poudre. Préparez le crumble comme ci-dessus. Ajoutez le zeste râpé d'une petite orange et 50 g de poudre d'amandes à la place de la noix de coco et des pépites de chocolat. Faites cuire comme ci-dessus.

risotto au riz rouge et aux raisins sautés

Pour **4 personnes**
Préparation **15 minutes**
Cuisson **44 à 55 minutes**

75 g de **beurre doux**
175 g de **riz rouge de Camargue**, rincé sous l'eau froide et égoutté
750 à 900 ml de **lait**
½ c. à c. de **quatre-épices** + quelques pincées pour décorer
50 g de **sucre de canne blond**
250 g de grains de **raisin rouge** sans pépins, coupés en deux
crème fraîche

Faites chauffer 50 g de beurre dans une casserole. Versez le riz et faites cuire 2 minutes à feu doux, en remuant constamment. Dans une autre casserole, faites chauffer le lait. Versez environ un tiers de lait chaud sur le riz. Ajoutez les épices.

Faites cuire le riz 40 à 50 minutes à feu doux, en remuant de temps en temps, jusqu'à ce que le riz soit fondant et crémeux. Ajoutez régulièrement du lait chaud, au fur et à mesure que le riz gonfle. Remuez plus fréquemment en fin de cuisson.

Hors du feu, incorporez le sucre. Faites chauffer le reste de beurre dans une poêle et faites frire les grains de raisin pendant 2 à 3 minutes. Répartissez le risotto dans des coupelles. Déposez des cuillerées de crème fraîche sur le riz, parsemez de grains de raisin, saupoudrez d'épices et servez aussitôt.

Pour un risotto au riz blanc et aux cerises, faites revenir 175 g de riz blanc à risotto dans 50 g de beurre. Faites chauffer 600 à 750 ml de lait comme ci-dessus, en remplaçant les épices par 1 cuillerée à café d'extrait de vanille et 50 g de cerises séchées. Laissez mijoter 20 à 25 minutes à feu doux jusqu'à ce que le riz soit fondant et crémeux. Incorporez 50 g de sucre en poudre. Supprimez les grains de raisin et déposez sur le risotto des cuillerées de crème fraîche.

crêpes banane caramel

Pour **4 personnes**
Préparation **15 minutes**
+ repos
Cuisson **30 minutes**

100 g de **farine** ordinaire
une pincée de **sel**
1 **œuf**
1 **jaune d'œuf**
300 ml de **lait**
2-3 c. à s. d'**huile de tournesol**
2 **bananes** coupées en tranches

Sauce caramel
50 g de **beurre doux**
50 g de **sucre de canne blond**
2 c. à s. de **mélasse**
150 ml de **crème fraîche**

Tamisez la farine au-dessus d'un saladier. Ajoutez le sel, l'œuf entier et le jaune d'œuf. Incorporez progressivement le lait tout en fouettant jusqu'à obtenir un mélange lisse. Laissez reposer 30 minutes.

Préparez la sauce caramel. Mettez le beurre, le sucre et la mélasse dans une petite casserole. Faites chauffer à feu doux en remuant de temps en temps jusqu'à ce que le beurre soit fondu et le sucre dissous. Portez à ébullition et maintenez l'ébullition 3 à 4 minutes jusqu'à ce que le caramel commence à dorer.

Hors du feu, ajoutez progressivement la crème. Inclinez la casserole pour mélanger les ingrédients. Quand les bouillons s'atténuent, remuez avec une cuillère en bois. Réservez.

Versez l'huile de tournesol dans une poêle (18 cm de diamètre). Faites chauffer, puis versez l'excédent d'huile dans un petit bol. Inclinez la poêle pour napper régulièrement le fond de la pâte à crêpes. Laissez cuire 2 minutes jusqu'à ce que le dessous soit bien doré. Retournez la crêpe avec une spatule et faites cuire l'autre côté. Faites glisser la crêpe sur une assiette et maintenez-la au chaud. Faites les autres crêpes, en huilant la poêle si nécessaire.

Pliez les crêpes et répartissez les rondelles de bananes dessus, puis arrosez de caramel.

gratin aux pommes et aux canneberges

Pour **6 personnes**
Préparation **25 minutes**
Cuisson **40 à 50 minutes**

750 g de **pommes** pelées, sans le trognon, coupées en quatre puis en tranches épaisses
125 g de **canneberges** surgelées
75 g de **sucre en poudre**
1 c. à s. d'**eau**
sucre glace pour décorer

Garniture
125 g de **beurre doux** ou de **margarine** à température ambiante
125 g de **sucre en poudre**
125 g de **farine à levure incorporée**
2 **œufs**
le **zeste** râpé d'une petite **orange** + 2 c. à s. de **jus**

Répartissez les pommes et les canneberges dans le fond d'un plat à gratin muni de bords hauts de 5 cm (contenance 1,5 l). Saupoudrez de sucre et ajoutez l'eau. Faites cuire 10 minutes dans un four préchauffé à 180 °C.

Préparez la garniture. Mettez le beurre (ou la margarine), le sucre, la farine et les œufs dans un saladier. Fouettez jusqu'à obtention d'un mélange lisse. Incorporez le zeste et le jus d'orange.

Versez la garniture sur les fruits partiellement cuits. Égalisez la surface. Remettez le plat dans le four et poursuivez la cuisson 30 à 40 minutes jusqu'à ce que le dessus soit doré et que le centre soit souple au toucher. Saupoudrez de sucre glace tamisé et servez chaud, avec de la crème anglaise ou de la crème fraîche.

Pour un gratin aux pommes et aux mûres, remplacez les canneberges par 125 g de mûres surgelées. Préparez la garniture comme ci-dessus en remplaçant le zeste et le jus d'orange par le zeste râpé d'un citron jaune et 2 cuillerées à soupe de jus.

pâtisseries, tourtes et tartes

profiteroles au gingembre

Pour **4 personnes**
Préparation **35 minutes**
+ refroidissement
Cuisson **20 minutes**

150 ml d'**eau**
50 g de **beurre doux**
une pincée de **sel**
65 g de **farine** ordinaire tamisée
2 **œufs**
½ c. à c. d'**extrait de vanille**
250 ml de **crème fraîche**
50 g de **gingembre confit**, haché finement

Sauce
150 g de **chocolat noir** cassé en morceaux
150 ml de **lait**
50 g de **sucre en poudre**
2 c. à s. de **cognac**

Versez l'eau dans une casserole. Ajoutez le beurre, le sel et faites chauffer jusqu'à ce que le beurre soit fondu. Portez à ébullition. Hors du feu, versez la farine en une fois et remuez. Refaites chauffer quelques instants, sans cesser de remuer, jusqu'à ce qu'une boule se forme. Laissez refroidir.

Dans un bol, fouettez les œufs et l'extrait de vanille. Incorporez progressivement ce mélange à la pâte jusqu'à ce qu'elle soit lisse. Versez la pâte dans une poche munie d'une douille unie de 1,5 cm. Huilez légèrement une grande plaque de cuisson, puis déposez-y 20 boulettes de pâte en les espaçant largement.

Faites cuire 15 minutes dans un four préchauffé à 200 °C jusqu'à ce que les petits choux aient bien gonflé. Faites une petite entaille dans chaque chou pour laisser s'échapper la vapeur, puis remettez la plaque dans le four éteint. Au bout de 5 minutes, sortez les choux du four et laissez-les refroidir.

Préparez la sauce. Mettez le chocolat, le lait et le sucre dans une casserole. Faites chauffer en remuant jusqu'à obtenir une sauce lisse. Hors du feu, ajoutez le cognac.

Fouettez la crème fraîche. Ajoutez le gingembre. Agrandissez les entailles dans les choux. Garnissez-les de crème au gingembre. Empilez les petits choux sur les assiettes. Nappez-les de sauce réchauffée.

tarte aux noix de macadamia et à la vanille

Pour **8-10 personnes**
Préparation **30 minutes**
Cuisson **45 minutes**

400 g de **pâte brisée** prête à l'emploi ou maison (voir p. 15)
un peu de **farine** pour le plan de travail
75 g de **sucre roux**
150 ml de **sirop d'érable**
75 g de **beurre doux**
1 c. à c. d'**extrait de vanille**
150 g de **poudre d'amandes**
4 **œufs** battus
200 g de **noix de macadamia** hachées grossièrement

Étalez la pâte au rouleau, en couche mince, sur un plan de travail légèrement fariné. Garnissez-en un moule à tarte (23 cm de diamètre) à fond amovible (voir p. 11). Piquez la pâte avec une fourchette et faites cuire 15 minutes à blanc (voir p. 12) dans un four préchauffé à 190 °C.

Dans une petite casserole, faites chauffer le sucre, le sirop d'érable et le beurre à feu doux, jusqu'à ce que le beurre soit fondu. Hors du feu, incorporez l'extrait de vanille et la poudre d'amandes, ainsi que les œufs. Ajoutez la moitié des noix de macadamia. Versez cette préparation sur la pâte brisée.

Parsemez de noix de macadamia hachées et faites cuire environ 25 minutes, jusqu'à ce que le dessus forme une croûte mais que la garniture reste relativement moelleuse. Laissez refroidir 10 minutes, puis servez avec de la glace ou de la crème fraîche.

Pour une tarte aux pignons et au miel, préparez la pâte et faites-la cuire à blanc comme ci-dessus. Travaillez ensemble 100 g de beurre doux et 100 g de sucre. À l'aide d'un fouet, incorporez 3 œufs (un œuf à la fois), puis 175 g de miel toutes fleurs réchauffé, le zeste râpé et le jus d'un citron jaune, et 200 g de pignons. Versez ce mélange sur la pâte et faites cuire environ 40 minutes dans un four préchauffé à 180 °C, jusqu'à ce que le dessus soit pris et doré.

jalousie aux nectarines et aux myrtilles

Pour **6 personnes**
Préparation **30 minutes**
Cuisson **20 à 25 minutes**

500 g de **pâte feuilletée** prête à l'emploi ou maison (voir p. 15)
un peu de **farine** pour le plan de travail
4 **nectarines** mûres coupées en tranches épaisses
125 g de **myrtilles**
50 g de **sucre en poudre** + quelques pincées pour décorer
le **zeste** râpé d'½ **citron jaune**
1 **œuf** battu
sucre glace pour décorer

Étalez la moitié de la pâte au rouleau sur un plan de travail légèrement fariné. Découpez-y un rectangle de 30 x 18 cm. Posez ce rectangle sur une plaque de cuisson légèrement huilée.

Disposez les tranches de nectarines sur la pâte jusqu'à 2,5 cm des bords. Ajoutez les myrtilles sur les nectarines, puis le sucre et le zeste de citron. Badigeonnez le pourtour avec un peu d'œuf battu.

Étalez l'autre moitié de pâte au rouleau. Découpez-y un rectangle légèrement plus grand que le premier (33 x 20 cm). Pliez le rectangle en deux dans la longueur, puis faites des entailles d'environ 6 cm, espacées les unes des autres de 1 cm, en partant du pli.

Dépliez le rectangle ainsi découpé et posez-le sur les fruits. Soudez les bords en pressant la pâte avec les doigts. Entaillez le pourtour avec un couteau puis cannelez-le (voir p. 14).

Badigeonnez le couvercle de pâte d'œuf battu. Saupoudrez de sucre et faites cuire 20 à 25 minutes dans un four préchauffé à 200 °C. Servez, froid ou chaud, avec de la crème fraîche ou de la glace.

Pour une jalousie aux pommes et aux mûres, remplacez les nectarines et les myrtilles par 4 pommes granny coupées en tranches épaisses et 125 g de mûres.

petits choux aux fraises

Pour **12 choux**
Préparation **30 minutes**
Cuisson **30 minutes**

50 g de **beurre doux** en parcelles
150 ml d'**eau**
65 g de **farine** ordinaire tamisée
2 **œufs** battus
1 c. à c. d'**extrait de vanille**
325 g de **fraises** coupées en lamelles
sucre glace pour décorer

Crème pâtissière
1 **gousse de vanille**
150 ml de **lait**
150 ml de **crème fraîche**
4 **jaunes d'œufs**
3 c. à s. de **sucre en poudre**
2 c. à s. de **farine** ordinaire

Huilez légèrement une grande plaque de cuisson, puis parsemez-la de gouttelettes d'eau. Faites fondre le beurre dans une casserole avec l'eau. Portez à ébullition. Retirez la casserole du feu.

Versez la farine tamisée et remuez jusqu'à ce qu'une boule se forme. Laissez refroidir 15 minutes, puis incorporez les œufs jusqu'à obtention d'une pâte lisse. Ajoutez l'extrait de vanille.

Déposez 12 cuillerées de pâte sur la plaque de cuisson, bien espacées les unes des autres. Faites cuire 25 minutes dans un four préchauffé à 200 °C. Faites une petite entaille dans chaque chou, puis remettez la plaque dans le four éteint. Au bout de 3 minutes, sortez les choux du four.

Préparez la crème pâtissière. Versez le lait et la crème fraîche dans une casserole. Ajoutez la gousse de vanille. Faites chauffer. Aux premiers frémissements, retirez du feu et laissez reposer 20 minutes. Dans un saladier, fouettez les jaunes d'œufs, le sucre et la farine. Retirez la gousse de vanille de la casserole, réchauffez le lait, puis incorporez-lui progressivement la préparation aux œufs. Faites chauffer 4 à 5 minutes à feu doux, en remuant constamment jusqu'à épaississement. Versez la crème dans un bol et laissez refroidir.

Ouvrez les choux. Garnissez-les avec les lamelles de fraises et la crème pâtissière. Reformez les choux. Saupoudrez de sucre glace et réservez au frais jusqu'au moment de servir.

chaussons aux poires et aux figues

Pour **6 personnes**
Préparation **40 minutes**
Cuisson **15 à 20 minutes**

125 g de **figues sèches** hachées finement
le **zeste** râpé et le **jus** d'une grosse **orange**
6 **poires** mûres bien fermes
500 g de **pâte feuilletée** prête à l'emploi ou maison (voir page 15)
un peu de **farine** pour le plan de travail
1 **œuf** battu
sucre glace pour décorer

Mettez les figues dans une petite casserole avec le zeste et le jus d'orange. Couvrez et laissez mijoter 5 minutes jusqu'à ce que les fruits soient tendres. Ajoutez un peu d'eau en cours de cuisson si nécessaire. Laissez refroidir.

Pelez les poires. Enlevez le trognon par la base des fruits. Égalisez la base de manière à ce que les poires tiennent debout. Garnissez de figues l'espace laissé par les trognons, en pressant fermement.

Étalez la pâte au rouleau, en couche mince, sur un plan de travail légèrement fariné. Découpez-y un rectangle de 43 x 38 cm. Découpez une longue bande de 6 cm de large. Coupez cette bande en 6 petits carrés que vous placerez sous chaque fruit de manière à empêcher la garniture de s'écouler.

Badigeonnez le reste de pâte d'œuf battu, puis découpez des bandes d'environ 2,5 cm de large. Prenez les bandelettes (une à la fois) et enroulez-les autour des poires en commençant par le dessus jusqu'en bas. Les bandelettes doivent se chevaucher légèrement.

Déposez les poires emballées sur une plaque de cuisson huilée et faites cuire 15 à 20 minutes dans un four préchauffé à 200 °C, jusqu'à ce que la pâte soit bien dorée. Saupoudrez de sucre glace tamisé et servez chaud avec de la crème anglaise.

tourte aux pommes et aux fruits rouges

Pour **6 personnes**
Préparation **30 minutes**
+ réfrigération
Cuisson **20 à 25 minutes**

275 g de **farine** ordinaire
+ quelques pincées
pour le plan de travail
75 g de **sucre glace**
125 g de **beurre doux**
à température ambiante,
coupé en parcelles
2 **œufs**
un peu de **lait** ou d'**œuf** battu
sucre en poudre
pour décorer

Garniture
2 **pommes** (environ 500 g)
pelées, sans le trognon
et coupés en tranches
épaisses
175 g de **fruits rouges**
mélangés, surgelés
(décongélation préalable
inutile)
50 g de **sucre en poudre**
2 c. à c. de **fécule de maïs**

Versez la farine sur une grande planche à découper ou directement sur le plan de travail. Ajoutez le sucre glace et le beurre. Faites un puits au centre. Cassez-y les œufs. Commencez par mélanger du bout des doigts les œufs et le beurre ensemble. Ramenez progressivement la farine et le sucre dans le puits jusqu'à ce qu'une boule se forme. Pétrissez légèrement la pâte, puis placez-la 15 minutes au réfrigérateur.

Préparez la garniture. Dans un saladier, mélangez ensemble les pommes, les fruits rouges surgelés, le sucre en poudre et la fécule.

Étalez la pâte au rouleau sur un plan de travail légèrement fariné jusqu'à obtention d'un disque d'environ 33 cm de diamètre. Soulevez le disque de pâte à l'aide du rouleau et posez-le sur une grande plaque de cuisson huilée. Empilez les fruits au centre de la pâte. Ramenez la pâte vers le centre, sur les fruits, en formant des plis.
Laissez le centre apparent.

Badigeonnez la pâte avec un peu de lait ou d'œuf battu. Saupoudrez de sucre en poudre. Faites cuire 20 à 25 minutes dans un four préchauffé à 190 °C jusqu'à ce que la pâte soit dorée et que les fruits soient fondants. Servez ce dessert chaud ou froid avec de la crème anglaise ou de la crème fraîche.

pastéis de nata

Pour **12 tartelettes**
Préparation **25 minutes**
+ refroidissement
Cuisson **35 minutes**

1 c. à s. de **sucre vanillé**
½ c. à c. de **cannelle en poudre**
450 g de **pâte brisée** prête à l'emploi ou maison (voir page 15)
un peu de **farine** pour le plan de travail
3 **œufs**
2 **jaunes d'œufs**
2 c. à s. de **sucre en poudre**
1 c. à c. d'**extrait de vanille**
300 ml de **crème fraîche**
150 ml de **lait**
sucre glace pour décorer

Mélangez le sucre vanillé et la cannelle. Coupez la pâte en deux et étalez chaque moitié au rouleau jusqu'à obtention de 2 carrés de 20 cm. Saupoudrez un des carrés de sucre à la cannelle. Posez le deuxième carré sur le premier. Étalez à nouveau la pâte jusqu'à obtention d'un rectangle de 40 x 30 cm. Découpez-y 12 disques de 10 cm de diamètre.

Garnissez les alvéoles d'un moule à muffins (12 alvéoles) antiadhésif avec les disques de pâte. Pressez la pâte pour bien tapisser les parois des alvéoles. Piquez le fond avec une fourchette et faites cuire 10 minutes à blanc (voir p. 12) dans un four préchauffé à 190 °C.

Dans un saladier, fouettez ensemble les œufs, les jaunes d'œufs, le sucre et l'extrait de vanille. Dans une casserole, faites chauffer la crème et le lait. Aux premiers frémissements, versez ce mélange dans le saladier en remuant constamment. Filtrez la crème, puis répartissez-la dans les alvéoles.

Faites cuire environ 20 minutes jusqu'à ce que la crème soit juste prise. Lorsque les tartelettes sont froides, démoulez-les et saupoudrez-les de sucre glace.

Pour des tartelettes aux pruneaux, déposez un pruneau dénoyauté dans le fond de chaque alvéole tapissée de pâte cuite à blanc. Versez la crème vanillée dans les alvéoles et faites cuire au four. Servez chaud avec de la crème fraîche.

tarte meringuée au citron

Pour **6 personnes**
Préparation **40 minutes** +
réfrigération et repos
Cuisson **35 à 40 minutes**

375 g de **pâte brisée**
prête à l'emploi
ou maison (voir page 15)
un peu de **farine**
pour le plan de travail
200 g de **sucre en poudre**
40 g de **fécule de maïs**
le **zeste** râpé et
le **jus** de 2 **citrons jaunes**
4 **œufs**, blancs et jaunes
séparés
200-250 ml d'**eau**

Étalez la pâte au rouleau, en couche mince, sur un plan de travail légèrement fariné. Garnissez-en un moule à tarte cannelé de 20 cm de diamètre, muni de bords hauts de 5 cm et à fond amovible (voir p. 11). Coupez l'excédent de pâte et piquez le fond avec une fourchette. Placez 15 minutes au réfrigérateur. Faites cuire 15 minutes à blanc (voir p. 12) dans un four préchauffé à 190 °C.

Dans un saladier, mélangez 75 g de sucre, la fécule, le zeste des citrons et les jaunes d'œufs, jusqu'à obtention d'un mélange lisse. Complétez le jus de citron avec de l'eau jusqu'à obtenir 300 ml. Versez-le dans une casserole et portez à ébullition. Versez progressivement le contenu de la casserole dans le saladier en fouettant jusqu'à ce que le mélange soit lisse. Reversez le tout dans la casserole et portez à ébullition sans cesser de fouetter jusqu'à épaississement. Étalez cette crème sur la pâte.

Fouettez les blancs d'œufs en neige ferme. Incorporez progressivement le reste de sucre et continuez de fouetter pendant 1 à 2 minutes jusqu'à ce que les blancs soient bien fermes (voir p. 10). Étalez cette meringue sur la crème.

Réduisez la température du four à180 °C. Enfournez la tarte pendant 15 à 20 minutes jusqu'à ce que la meringue soit cuite et dorée. Laissez reposer 15 minutes. Servez ce dessert chaud ou froid avec de la crème fraîche.

tarte au citron

Pour **8 personnes**
Préparation **20 minutes**
+ réfrigération
et refroidissement
Cuisson **45 à 50 minutes**

450 g de **pâte brisée**
prête à l'emploi
ou maison (voir p. 15)
3 **œufs**
1 **jaune d'œuf**
450 ml de **crème fraîche**
100 g de **sucre en poudre**
150 ml de **jus de citron**
sucre glace pour décorer

Étalez la pâte au rouleau, en couche mince, sur un plan de travail légèrement fariné. Garnissez-en un moule à tarte cannelé de 25 cm de diamètre (voir p. 11). Piquez le fond avec une fourchette, puis placez 15 minutes au réfrigérateur.

Posez un morceau de papier sulfurisé sur la pâte, étalez des macaronis ou des haricots secs sur le papier et faites cuire 15 minutes à blanc (voir p. 12) dans un four préchauffé à 190 °C. Retirez les macaronis ou les haricots, le papier sulfurisé, et poursuivez la cuisson 10 minutes, jusqu'à ce que la pâte soit croustillante et dorée. Sortez la tarte et réduisez la température du four à 150 °C.

Dans un saladier, fouettez ensemble les œufs, le jaune d'œuf, la crème fraîche, le sucre et le jus de citron. Versez ce mélange sur la pâte.

Faites cuire 20 à 25 minutes au four jusqu'à ce que la garniture soit juste prise. Laissez refroidir complètement. Saupoudrez de sucre glace et servez.

Pour confectionner un accompagnement aux fruits rouges et à la crème de cassis, coupez 250 g de fraises en deux (ou en tranches si elles sont grosses) et mélangez-les avec 125 g de framboises, 125 g de myrtilles, 3 cuillerées à soupe de sucre en poudre et 2 cuillerées à soupe de crème de cassis. Laissez mariner 1 heure avant de servir.

pithiviers aux prunes

Pour **6 personnes**
Préparation **30 minutes**
Cuisson **25 à 30 minutes**

100 g de **beurre doux** à température ambiante
100 g de **sucre en poudre**
100 g de **poudre d'amandes**
quelques gouttes d'**extrait d'amande**
1 **œuf** battu + un peu pour badigeonner la pâte
500 g de **pâte feuilletée** prête à l'emploi ou maison (voir p. 15)
un peu de **farine** pour le plan de travail
375 g de **prunes** dénoyautées et coupées en grosses tranches
sucre glace pour décorer

Dans un saladier, travaillez le beurre et le sucre jusqu'à obtention d'un mélange blanc et lisse. Ajoutez la poudre d'amandes, l'extrait et l'œuf. Remuez jusqu'à obtenir un mélange lisse.

Étalez la moitié de la pâte au rouleau, en couche mince, sur un plan de travail légèrement fariné. Découpez-y un disque de 25 cm de diamètre, en utilisant une grande assiette comme guide. Posez le disque sur une plaque de cuisson parsemée de gouttelettes d'eau. Étalez la préparation aux amandes sur la pâte jusqu'à 2,5 cm des bords. Répartissez les prunes sur la garniture. Badigeonnez le pourtour d'œuf battu.

Étalez le reste de pâte au rouleau, en couche mince. Découpez-y un disque légèrement plus grand que le premier. Avec un couteau, découpez 5 ou 6 « S » dans la pâte, en partant du centre. Soulevez le disque de pâte à l'aide du rouleau et posez-le sur les prunes. Soudez les bords en pressant la pâte avec les doigts. Égalisez le pourtour si nécessaire, puis entaillez-le pour légèrement séparer les feuilles de pâte (voir p. 14).

Badigeonnez le couvercle de pâte avec de l'œuf battu. Faites cuire 25 à 30 minutes dans un four préchauffé à 200 °C jusqu'à ce que le pithiviers soit bien gonflé et doré.

Laissez refroidir légèrement, puis saupoudrez de sucre glace. Coupez des parts et servez avec de la crème fraîche.

tarte aux noix de pécan, au sirop d'érable et au chocolat

Pour **8 personnes**
Préparation **20 minutes**
+ réfrigération
et refroidissement
Cuisson **1heure à 1 h 10**

175 g de **farine** ordinaire tamisée + un peu pour le plan de travail
25 g de **cacao en poudre** tamisé
¼ c. à c. de **sel**
100 g de **beurre doux** froid, coupé en parcelles
1 **œuf** battu légèrement
2-3 c. à c. d'**eau** froide

Garniture
125 g de **beurre doux** en pommade
125 g de **sucre roux**
2 **œufs** battus
4 c. à s. de **farine** ordinaire
une pincée de **sel**
175 ml de **sirop d'érable**
175 g de **noix de pécan** grillées
100 g de **pignons** légèrement grillés
50 g de **chocolat noir** haché

Versez la farine, le cacao et le sel dans un récipient. Ajoutez le beurre et travaillez le mélange du bout des doigts jusqu'à obtention d'un mélange grumeleux. Incorporer l'œuf et l'eau, et continuez de remuer jusqu'à obtenir une boule. Pétrissez ensuite la pâte sur un plan de travail légèrement fariné. Aplatissez le pâton et emballez-le dans du film plastique. Placez 30 minutes au réfrigérateur.

Étalez la pâte au rouleau, en couche mince, sur un plan de travail légèrement fariné. Garnissez-en un moule carré de 23 cm (voir p. 11). Piquez le fond avec une fourchette et placez 20 minutes au réfrigérateur. Faites cuire 15 minutes à blanc (voir p. 12) dans un four préchauffé à 190 °C.

Pour la garniture, travaillez dans un saladier le beurre et le sucre jusqu'à obtention d'un mélange blanc et crémeux. Incorporez progressivement les œufs, en fouettant constamment, puis la farine et le sel. Ajoutez le sirop d'érable, les noix de pécan, les pignons et le chocolat. Répartissez cette préparation sur la pâte.

Faites cuire 40 à 45 minutes jusqu'à ce que le dessus soit doré et que la garniture soit juste ferme au centre. Sortez la tarte du four et laissez-la reposer quelques instants. Servez chaud avec de la crème épaisse.

tarte aux cerises et à la crème frangipane

Pour **8 personnes**
Préparation **35 minutes**
+ réfrigération
et refroidissement
Cuisson **50 minutes**

450 g de **pâte brisée** prête à l'emploi ou maison (voir p. 15)
un peu de **farine** pour le plan de travail
250 g de **cerises fraîches** dénoyautées ou 1 bocal (425 g) de **cerises au sirop** égouttées
3 **œufs**
100 g de **sucre en poudre**
75 g de **beurre doux** fondu
quelques gouttes d'**extrait d'amande**
100 g de **poudre d'amandes**
2 c. à s. d'**amandes** effilées
sucre glace pour décorer

Étalez la pâte au rouleau sur un plan de travail légèrement fariné. Soulevez la pâte à l'aide du rouleau et garnissez-en un moule à tarte cannelé, préalablement huilé, de 25 cm de diamètre (voir p. 11). Coupez l'excédent de pâte, puis placez 15 minutes au réfrigérateur. Faites cuire à blanc 15 minutes (voir p. 12) dans un four préchauffé à 190 °C.

Disposez les cerises sur la pâte. Dans un saladier, fouettez les œufs et le sucre jusqu'à épaississement. Incorporez délicatement le beurre fondu et l'extrait d'amande, puis la poudre d'amandes. Versez ce mélange sur les cerises et parsemez d'amandes effilées.

Réduisez la température du four à 180 °C. Faites cuire la tarte 30 minutes jusqu'à ce qu'elle soit bien dorée et que la garniture soit cuite. Au bout de 20 minutes de cuisson, posez un carré de papier aluminium sur la tarte si elle dore trop rapidement.

Laissez refroidir 30 minutes dans le moule. Démoulez et saupoudrez de sucre glace avant de servir.

Pour une variante à la confiture, préparez et faites cuire la pâte à blanc. Étalez 4 cuillerées à soupe de confiture de fraises ou de framboises sur la pâte. Versez la garniture aux amandes sur la confiture. Parsemez d'amandes effilées et faites cuire comme ci-dessus.

tarte aux poires et aux amandes

Pour **8 personnes**
Préparation **20 minutes**
+ réfrigération
Cuisson **50 à 55 minutes**

450 g de **pâte brisée** prête à l'emploi ou maison (voir p. 15)
un peu de **farine** pour le plan de travail
125 g de **beurre doux** en pommade
125 g de **sucre en poudre**
125 g de **poudre d'amandes**
2 **œufs** battus légèrement
1 c. à s. de **jus de citron**
3 **poires** mûres pelées, sans le trognon, et coupées en tranches épaisses
25 g d'**amandes** effilées
sucre glace pour décorer

Étalez la pâte au rouleau sur un plan de travail légèrement fariné. Garnissez-en un moule à tarte de 25 cm de diamètre (voir p. 11). Piquez le fond avec une fourchette, puis placez 30 minutes au réfrigérateur. Faites cuire 15 minutes à blanc (voir p. 12) dans un four préchauffé à 190°C. Laissez refroidir complètement. Réduisez la température du four à 190 °C.

Dans un saladier, fouettez ensemble le beurre, le sucre et la poudre d'amandes jusqu'à obtention d'un mélange lisse. Incorporez les œufs et le jus de citron en fouettant constamment.

Disposez les tranches de poires sur la pâte. Répartissez délicatement la crème frangipane sur les poires. Parsemez d'amandes effilées et faites cuire 30 minutes jusqu'à ce que le dessus soit doré et ferme au toucher. Sortez la tarte du four et laissez refroidir.

Saupoudrez de sucre glace tamisé. Coupez des parts et servez avec de la sauce au chocolat (voir ci-dessous) et de la glace vanille.

Pour confectionner la sauce au chocolat, faites fondre 100 g de chocolat noir haché avec 50 g de beurre doux en parcelles et 1 cuillerée à soupe de mélasse. Laissez tiédir légèrement.

pizzas sucrées aux fruits

Pour **4 personnes**
Préparation **25 minutes**
+ repos
Cuisson **12 à 15 minutes**

250 g de **farine blanche à pain** + un peu pour le plan de travail
½ c. à c. de **sel**
2 c. à s. de **sucre en poudre**
¾ c. à c. de **levure** déshydratée à action rapide
2 c. à s. d'**huile d'olive**
150 ml d'**eau** chaude

Garniture
150 g de **mascarpone**
2 c. à s. de **sucre glace**
½ c. à c. d'**extrait de vanille**
2 **pêches** dénoyautées et coupées en tranches
2 **figues** coupées en quatre
125 g de **framboises** fraîches
2 c. à s. de **sirop d'érable** + un filet pour décorer

Mélangez la farine, le sel, le sucre et la levure dans un saladier. Ajoutez l'huile, puis incorporez progressivement l'eau jusqu'à obtenir une pâte lisse. Pétrissez la pâte sur un plan de travail légèrement fariné pendant 5 minutes jusqu'à ce que la pâte soit élastique. Remettez le pâton dans le saladier et couvrez de film alimentaire. Laissez reposer 45 minutes dans une pièce chaude afin que la pâte ait doublé de volume.

Pétrissez la pâte une deuxième fois. Partagez la pâte en quatre. Étalez chaque pâton au rouleau de manière à obtenir 4 disques d'environ 18 cm de diamètre. Posez les disques sur 2 plaques de cuisson huilées.

Dans un saladier, mélangez ensemble le mascarpone, le sucre glace et l'extrait de vanille. Étalez cette préparation sur les disques de pâte sans en mettre sur le pourtour. Disposez les fruits sur la garniture. Laissez lever 15 minutes. Versez le sirop d'érable en filet, puis faites cuire 12 à 15 minutes dans un four préchauffé à 200 °C jusqu'à ce que les pizzas soient dorées et que la pâte soit cuite.

Laissez reposer 5 minutes. Arrosez avec un filet de sirop d'érable et servez.

tartelettes aux fruits rouges

Pour **6 personnes**
Préparation **20 minutes**
+ réfrigération
Cuisson **40 à 48 minutes**

450 g de **pâte brisée** prête à l'emploi ou maison (voir p. 15)
un peu de **farine** pour le plan de travail
sucre glace pour décorer

Garniture
125 g de **beurre doux** en pommade
125 g de **sucre en poudre**
2 **œufs** battus légèrement
125 g de **noisettes en poudre**
175 g de **fruits rouges** mélangés (framboises et myrtilles, par exemple)

Glaçage à l'abricot
250 g de **confiture d'abricots**
2 c. à c. de **jus de citron jaune**
2 c. à c. d'**eau**

Divisez la pâte en trois. Étalez chaque pâton au rouleau, en couche mince, sur un plan de travail légèrement fariné. Garnissez-en 3 petits moules à tartes cannelés de 12 cm de diamètre (voir p. 11). Piquez le fond avec une fourchette et placez 30 minutes au réfrigérateur. Faites cuire 10 minutes à blanc (voir p. 12) dans un four préchauffé à 190 °C. Laissez refroidir. Réduisez la température du four à 180 °C.

Dans un saladier, fouettez le beurre et le sucre jusqu'à obtention d'un mélange blanc et léger. Incorporez progressivement les œufs, puis les noisettes.

Répartissez les fruits rouges dans les moules. Versez la préparation aux noisettes sur les fruits. Lissez la surface. Faites cuire 25 à 30 minutes au four jusqu'à ce que la garniture ait gonflé et soit ferme au toucher.

Faites chauffer la confiture à feu doux avec le jus de citron et l'eau. Quand la confiture est fluide, augmentez le feu et faites bouillir pendant 1 minute. Filtrez le mélange dans un tamis fin. Réservez au chaud.

Avec un pinceau de cuisine, nappez les tartelettes de glaçage à l'abricot, dès la sortie du four. Laissez refroidir dans les moules. Servez saupoudré de sucre glace.

tourte soufflée aux pommes

Pour **6 personnes**
Préparation **40 minutes**
+ réfrigération
Cuisson **20 à 25 minutes**

5 à 6 **pommes** (1 kg) pelées, sans le trognon, et coupées en tranches épaisses
100 g de **sucre en poudre** + quelques pincées pour décorer
le **zeste** râpé d'une petite **orange**
½ c. à c. de **quatre-épices** ou de **cannelle en poudre**
3 **clous de girofle**
400 g de **pâte feuilletée** prête à l'emploi ou maison (voir p. 15)
un peu de **farine** pour le plan de travail
1 **œuf** battu

Déposez les pommes dans un plat à tourte (contenance 1,2 l). Dans un bol, mélangez le sucre avec le zeste d'orange, les épices et les clous de girofle. Saupoudrez ce mélange sur les pommes.

Étalez la pâte au rouleau, sur un plan de travail légèrement fariné, jusqu'à obtention d'un disque un peu plus grand que le plat. Déposez le disque de pâte sur le plat (voir p. 13 et 14). Soudez bien les bords en pressant la pâte avec les doigts.

Enlevez l'excédent de pâte, entaillez le tour avec un couteau, puis festonnez la pâte (voir p. 14). Faites une boule avec les chutes de pâte. Étalez ce petit pâton et découpez-y des cœurs ou des disques. Badigeonnez le couvercle de pâte d'œuf battu. Collez les cœurs ou les disques sur la pâte. Badigeonnez-les d'œuf également. Saupoudrez de sucre.

Faites cuire 20 à 25 minutes dans un four préchauffé à 200 °C jusqu'à ce que la pâte soit bien gonflée et dorée. Servez chaud avec de la crème fouettée.

Pour une tourte épicée aux prunes et aux poires, remplacez les pommes par 500 g de poires en tranches et 500 g de prunes coupées en morceaux. Saupoudrez de sucre (75 g) et ajoutez 2 étoiles d'anis, 3 clous de girofle et ¼ de cuillerée à café de cannelle en poudre. Supprimez le zeste d'orange.

tatin à la mangue et au sucre de palme

Pour **8 personnes**
Préparation **40 minutes**
+ congélation
Cuisson **20 à 25 minutes**

75 g de **beurre doux**
75 g de **sucre de palme** râpé ou de **sucre roux**
½ c. à c. de **quatre-épices**
3 petites **mangues** pelées, dénoyautées et coupées en tranches épaisses
350 g de **pâte feuilletée** prête à l'emploi ou maison, bien froide (voir p. 15)
un peu de **farine** pour le plan de travail

Préparez la garniture. Faites chauffer le beurre avec le sucre et les épices dans un poêlon de 23 cm de diamètre. Quand le beurre est fondu, retirez le poêlon du feu. Disposez-y les tranches de mangues en éventail, en 2 couches.

Étalez la pâte au rouleau sur un plan de travail légèrement fariné. Découpez-y un disque un peu plus grand que le poêlon. Posez la pâte sur les mangues. Bordez les fruits en enfonçant la pâte le long des parois du poêlon. Faites un petit trou au centre. Faites cuire 20 à 25 minutes dans un four préchauffé à 220 °C. Laissez reposer 10 minutes avant de démouler sur un plat de service. Servez ce dessert avec de la glace.

Pour une glace à la noix de coco, versez 300 ml de lait entier et 400 ml de lait de coco dans une marmite. Ajoutez 2 étoiles d'anis et faites chauffer. Aux premiers bouillons, retirez la casserole du feu et laissez infuser 20 minutes. Filtrez le mélange. Dans un saladier, fouettez 5 jaunes d'œufs et 75 g de sucre. Incorporez la préparation lait-coco, puis reversez le tout dans la marmite. Faites chauffer à feu doux en remuant jusqu'à ce que le mélange nappe le dos d'une cuillère. Laissez refroidir, puis faites prendre au congélateur dans une sorbetière électrique. Vous pouvez aussi verser le mélange dans un récipient en plastique et fouetter à plusieurs reprises durant la congélation.

tarte au potiron

Pour **6 personnes**
Préparation **30 minutes**
Cuisson **60 à 75 minutes**

500 g de **chair de potiron**
3 **œufs**
100 g de **sucre de canne blond**
2 c. à s. de **farine** ordinaire
½ c. à c. de **cannelle en poudre**
½ c. à c. de **gingembre en poudre**
¼ c. à c. de **noix muscade en poudre**
200 ml de **lait** + un peu pour glacer
450 g de **pâte brisée** prête à l'emploi ou maison (voir p. 15)
un peu de **farine** pour le plan de travail
sucre glace pour décorer

Coupez la chair du potiron en dés. Faites cuire 15 à 20 minutes à la vapeur. Laissez refroidir, puis réduisez en purée dans un robot ou dans le bol d'un mixeur.

Dans un saladier, fouettez ensemble les œufs, le sucre, la farine et les épices. Ajoutez la purée de potiron, puis incorporez progressivement le lait. Réservez.

Étalez ¾ de la pâte au rouleau sur un plan de travail légèrement fariné. Garnissez-en un moule huilé de 23 cm de diamètre et muni de bords hauts de 2,5 cm. Coupez l'excédent de pâte. Ajoutez les chutes au quart de pâte restant. Étalez le petit pâton au rouleau et découpez-y des feuilles. Tracez les nervures. Badigeonnez le pourtour de pâte de lait, puis collez-y quelques feuilles. Gardez-en quelques-unes pour la fin. Posez le moule sur une plaque de cuisson.

Versez la garniture sur la pâte. Décorez éventuellement avec quelques feuilles, puis badigeonnez les feuilles et le pourtour de pâte avec du lait. Faites cuire 45 à 50 minutes dans un four préchauffé à 190 °C. Au bout de 20 minutes de cuisson, recouvrez de papier aluminium pour empêcher les bords de brûler.

Saupoudrez de sucre glace. Vous pouvez servir ce dessert avec de la crème fouettée saupoudrée d'épices en poudre.

tarte au citron kaffir

Pour **8 personnes**
Préparation **20 minutes**
+ réfrigération
Cuisson **33 à 40 minutes**

400 g de **pâte brisée** prête à l'emploi ou maison, bien froide (voir p. 15)
un peu de **farine** pour le plan de travail
175 g de **sucre en poudre**
200 ml de **jus de citron vert** fraîchement pressé (4-6 citrons)
8 **feuilles de citronnier kaffir** ou le **zeste** râpé de 3 **citrons verts**
3 **œufs**
2 **jaunes d'œufs**
175 g de **beurre doux** en pommade
sucre glace pour décorer

Étalez la pâte au rouleau sur un plan de travail légèrement fariné. Garnissez-en un moule à tarte de 23 cm de diamètre (voir p. 11). Piquez le fond avec une fourchette et placez 30 minutes au réfrigérateur. Faites cuire 15 minutes à blanc (voir p.12) dans un four préchauffé à 190 °C (th. 5). Laissez refroidir.

Préparez la garniture. Faites chauffer à feu doux le sucre, le jus de citron et les feuilles de citronnier kaffir (ou le zeste). Quand le sucre est dissous, portez à ébullition et laissez frémir 5 minutes. Laissez refroidir 5 minutes, puis filtrez le mélange dans une casserole propre.

Incorporez les œufs, les jaunes d'œufs et la moitié du beurre. Faites épaissir 1 minute à feu doux, tout en remuant, jusqu'à ce que le mélange nappe le dos d'une cuillère. Ajoutez le reste de beurre et fouettez constamment jusqu'à épaississement.

Versez la préparation sur la pâte et faites cuire 6 à 8 minutes. Laissez tiédir quelques instants, puis servez saupoudré de sucre glace.

Pour confectionner une salade mangue kiwi passion, que vous pourrez servir en accompagnement, pelez, dénoyautez et tranchez 1 grosse mangue. Mélangez la mangue avec 3 kiwis pelés et coupés en tranches, la pulpe de 3 fruits de la passion et le jus d'un citron vert.

chaussons grecs aux prunes

Pour **24 chaussons**
Préparation **40 minutes**
Cuisson **10 minutes**

100 g de **feta** égouttée et râpée grossièrement
100 g de **ricotta**
50 g de **sucre en poudre**
¼ c. à c. de **cannelle en poudre**
1 **œuf** battu
75 g de **beurre doux**
12 feuilles de **pâte filo** bien froide
un peu de **farine** pour le plan de travail
500 g de petites **prunes rouges** coupées en deux et dénoyautées
sucre glace pour décorer

Dans un saladier, mélangez la feta avec la ricotta, le sucre, la cannelle et l'œuf. Faites fondre le beurre dans une petite casserole.

Dépliez les feuilles de pâte filo sur un plan de travail légèrement fariné. Prenez une feuille et posez-la devant vous. Recouvrez les autres feuilles avec du film alimentaire pour qu'elles ne se dessèchent pas. Badigeonnez la feuille avec un peu de beurre fondu, puis coupez-la en deux de manière à obtenir 2 longues bandes. Posez une cuillerée de farce à l'extrémité d'une des bandes. Posez une demi-prune sur la farce. Prenez un coin de pâte et repliez-le sur la farce de manière à obtenir un triangle.

Prenez la pointe du triangle et enroulez ce dernier sur lui-même de manière à obtenir un autre triangle. Poursuivez ainsi, sur toute la longueur de pâte. Préparez les 23 autres chaussons de la même manière jusqu'à ce qu'il n'y ait plus de farce.

Badigeonnez le dessus des chaussons avec le reste de beurre fondu et faites-les cuire environ 10 minutes dans un four préchauffé à 200 °C jusqu'à ce que la pâte soit dorée et que du jus de prunes commence à couler par les côtés. Saupoudrez avec un peu de sucre glace tamisé et laissez refroidir 15 minutes avant de servir.

Pour des chaussons aux pêches et au gingembre, remplacez la cannelle par 2 cuillerées à soupe de gingembre confit finement haché, et les prunes par 2 pêches mûres coupées chacune en 12 morceaux. Confectionnez les chaussons comme ci-dessus.

strudel aux pommes et aux raisins secs

Pour **6 personnes**
Préparation **30 minutes**
+ repos
Cuisson **30 à 35 minutes**

100 g de **raisins secs**
2 c. à s. de **cognac**
750 g de **pommes** coupées en petits dés
75 g de **chapelure** fraîche
50 g de **sucre roux**
le **zeste** râpé d'un **citron jaune**
50 g de **pignons** grillés
1 c. à c. de **cannelle en poudre** + une pincée pour décorer
12 feuilles de **pâte filo** bien froide
un peu de **farine** pour le plan de travail
65 g de **beurre doux** fondu
2 c. à s. de **sucre glace** pour décorer

Dans un bol, versez le cognac sur les raisins secs. Laissez mariner 2 heures.

Mettez les pommes dans un saladier. Ajoutez la chapelure, le sucre, le zeste de citron, les pignons, la cannelle, les raisins secs et leur marinade. Remuez soigneusement.

Posez 2 feuilles de pâte filo sur un plan de travail légèrement fariné, en les faisant se chevaucher sur 2,5 cm de manière à obtenir un grand rectangle de pâte. Badigeonnez de beurre fondu. Superposez les autres feuilles de la même manière, en prenant soin de badigeonner chaque couche de beurre fondu.

Étalez le mélange aux pommes sur la pâte jusqu'à 5 cm des bords. Repliez les longues bandes de pâte sur la farce. Badigeonnez de beurre fondu. Enroulez la pâte en partant d'un petit côté.

Déposez la bûche obtenue sur une plaque de cuisson. Badigeonnez avec le reste de beurre et faites cuire 30 à 35 minutes dans un four préchauffé à 200 °C. Le dessus doit être légèrement doré. Mélangez le sucre glace et une pincée de cannelle. Saupoudrez-en le strudel. Servez chaud avec de la crème anglaise ou de la crème fouettée.

tarte aux deux chocolats

Pour 6 à 8 personnes
Préparation **40 minutes**
+ réfrigération
et refroidissement
Cuisson **40 minutes**

400 g de **pâte brisée**
prête à l'emploi
ou maison (voir p. 15)
un peu de **farine**
pour le plan de travail
150 g de **chocolat noir**
cassé en petits morceaux
+ 50 g pour décorer
150 g de **chocolat blanc**
100 g de **beurre doux**
3 **œufs**
1 **jaune d'œuf**
100 g de **sucre en poudre**
2 c. à s. de **crème épaisse**

Étalez la pâte au rouleau sur un plan de travail légèrement fariné. Garnissez-en un moule à tarte cannelé de 24 cm de diamètre à fond amovible (voir p. 11).

Coupez l'excédent de pâte. Piquez le fond avec une fourchette, puis placez 15 minutes au réfrigérateur. Faites cuire 15 minutes à blanc (voir p. 12) dans un four préchauffé à 190 °C.

Faites fondre, dans 2 saladiers séparés, le chocolat noir et le chocolat blanc au bain-marie (voir p. 11). Ajoutez les ¾ du beurre au chocolat noir et le quart restant au chocolat blanc. Laissez fondre.

Dans un récipient, fouettez ensemble les œufs entiers, le jaune d'œuf et le sucre pendant 3 à 4 minutes jusqu'à ce que le mélange ait doublé de volume (il ne faut pas que la préparation soit épaisse au point que le fouet y laisse des traces). Incorporez deux tiers de cette préparation au chocolat noir et versez ce mélange sur la pâte. Incorporez la crème épaisse au chocolat blanc pour le fluidifier, puis ajoutez le reste de mélange œufs-sucre. Étalez cette préparation sur le chocolat noir.

Réduisez la température du four à 160 °C. Faites cuire la tarte 20 minutes. Le centre doit même rester légèrement « tremblotant ». Laissez refroidir au moins 1 heure. Tracez des lignes de chocolat noir sur la surface et laissez reposer au moins 30 minutes avant de servir.

corolles aux nectarines et aux myrtilles

Pour **12 corolles**
Préparation **15 minutes**
Cuisson **6 à 8 minutes**

25 g de **beurre doux**
2 c. à c. d'**huile d'olive**
4 feuilles de **pâte filo** bien froide (30 x 18 cm, soit 65 g au total)
un peu de **farine** pour le plan de travail
2 c. à s. de **confiture de fruits rouges**
le **jus** d'½ **orange**
4 **nectarines** mûres dénoyautées et coupées en tranches
150 g de **myrtilles**
sucre glace pour décorer

Faites chauffer le beurre et l'huile dans une petite casserole jusqu'à ce que le beurre soit fondu.

Dépliez la pâte sur un plan de travail légèrement fariné. Séparez les feuilles. Badigeonnez avec le mélange beurre-huile, puis coupez en 24 morceaux de 10 x 8 cm.

Chemisez les alvéoles d'un moule à grands muffins (12 alvéoles) avec un premier carré de pâte. Mettez un deuxième carré de pâte dans les alvéoles, légèrement décalé par rapport au premier.

Faites cuire 6 à 8 minutes dans un four préchauffé à 180 °C. Réchauffez la confiture et le jus d'orange dans une petite casserole. Ajoutez les nectarines et les myrtilles. Réchauffez le tout.

Démoulez délicatement les corolles. Versez-y les fruits chauds et saupoudrez de sucre glace.

Pour des corolles aux raisins et au miel, confectionnez les corolles. Dans une casserole, faites cuire pendant 5 minutes, 300 g de grains de raisin noir sans pépins, coupés en deux, avec 175 ml de jus de raisin et 1 cuillerée à soupe de miel. Sortez le raisin de la casserole, puis faites bouillir le jus. Remettez les grains de raisin dans la casserole, puis laissez refroidir. Dans un bol, mélangez 250 g de yaourt grec et 2 cuillerées à soupe de miel liquide. Répartissez ce mélange dans les corolles, ajoutez le raisin au sirop et servez.

feuilletés au chocolat blanc et aux framboises

Pour **6 personnes**
Préparation **20 minutes**
+ réfrigération
Cuisson **15 minutes**

375 g de **pâte feuilletée** prête à l'emploi ou maison, bien froide (voir p. 15)
un peu de **farine** pour le plan de travail
200 ml de **crème épaisse**
½ **gousse de vanille**
200 g de **chocolat blanc** haché
150 g de **framboises**
sucre glace pour décorer

Étalez la pâte au rouleau sur un plan de travail légèrement fariné, jusqu'à obtenir un rectangle de 2,5 mm d'épaisseur. Coupez la pâte en 6 petits rectangles de 12 x 7 cm que vous poserez sur une plaque de cuisson. Placez 30 minutes au réfrigérateur. Faites cuire 15 minutes dans un four préchauffé à 200 °C jusqu'à ce que la pâte soit gonflée et dorée. Laissez refroidir sur une grille.

Faites chauffer la crème et la gousse de vanille à feu doux. Aux premiers frémissements, retirez la casserole du feu. Sortez les gousses de vanille et grattez les graines dans la crème. Incorporez le chocolat sans attendre, en remuant jusqu'à ce qu'il soit fondu. Laissez refroidir, puis faites prendre 1 heure au réfrigérateur. Fouettez jusqu'à ce que le mélange puisse se tartiner.

Fendez les rectangles de pâte en deux dans l'épaisseur. Garnissez les feuilletés avec la crème au chocolat blanc et quelques framboises. Servez saupoudré de sucre glace tamisé.

Pour des feuilletés aux fraises et à la crème pâtissière, préparez les rectangles de pâte comme ci-dessus. Fouettez 150 ml de crème fraîche. Incorporez 125 g de crème pâtissière prête à l'emploi. Fendez les rectangles de pâte et garnissez-les avec la crème et 250 g de fraises coupées en tranches. Avant de servir, saupoudrez de sucre glace tamisé.

banoffee pie

Pour **6 personnes**
Préparation **35 minutes**
+ réfrigération
et refroidissement
Cuisson **8 minutes**

200 g de **beurre doux**
2 c. à s. de **mélasse**
250 g de **biscuits sablés** émiettés
100 g de **cassonade**
400 g de **lait concentré entier**
300 ml de **crème fraîche**
3 petites **bananes**
le **jus** d'un **citron jaune**
chocolat noir râpé pour décorer

Faites fondre la moitié du beurre avec la mélasse. Ajoutez les biscuits émiettés et remuez soigneusement. Versez le mélange dans un moule à bord amovible de 20 cm de diamètre. Tassez bien le mélange en le faisant remonter le long des parois. Placez au réfrigérateur.

Faites chauffer le reste de beurre avec le sucre, dans une poêle à revêtement antiadhésif, jusqu'à ce que le beurre soit fondu et le sucre dissous. Ajoutez le lait concentré et faites chauffer à feu moyen pendant 4 à 5 minutes en remuant constamment. Le mélange doit s'épaissir et commence à sentir le caramel (ne chauffez pas le mélange à feu vif sans quoi le lait concentré brûlerait).

Retirez la poêle du feu et laissez refroidir 1 à 2 minutes. Versez le mélange dans le moule. Laissez refroidir complètement, puis placez au moins 1 heure au réfrigérateur.

Juste avant de servir, fouettez la crème jusqu'à ce que des pointes souples se forment. Coupez les bananes en deux dans la longueur puis coupez chaque moitié en tranches. Trempez-les dans le jus de citron. Mélangez deux tiers des bananes dans la crème et disposez les tranches restantes sur le dessus. Détachez le gâteau des parois du moule à l'aide d'une spatule. Démoulez et transférez le gâteau sur un plat de service. Parsemez de chocolat râpé et coupez des parts.

tartelettes papaye citron mangue

Pour **20 tartelettes**
Préparation **35 minutes**
Cuisson **15 à 20 minutes**

250 g de **pâte brisée** prête à l'emploi ou maison, bien froide (voir p. 15)
un peu de **farine** pour le plan de travail
le **zeste** finement râpé et le **jus** de 2 gros **citrons verts** juteux
6 c. à s. de **crème fraîche**
150 ml de **lait concentré** entier
2 c. à s. de petits dés de **papaye**
2 c. à s. de petits dés de **mangue**
quelques filaments de **zeste de citron vert** pour décorer

Étalez la pâte au rouleau, sur un plan de travail légèrement fariné, jusqu'à une épaisseur de 2,5 mm. Découpez-y 20 petits disques à l'aide d'un emporte-pièce de 5 cm de diamètre. Garnissez-en 20 petits moules à tartelettes de 5 cm de diamètre (voir p. 11). Piquez le fond avec une fourchette. Faites cuire 10 minutes à blanc (voir p. 12) dans un four préchauffé à 190 °C. Sortez les tartelettes du four.

Mixez le zeste de citron, avec la crème et le lait concentré. Tout en mixant, versez progressivement le jus de citron. Transvasez le mélange dans un saladier. Couvrez et faites prendre 3 à 4 heures au réfrigérateur.

Démoulez les tartelettes sur un plat de service. Avec une cuillère, versez la crème sur la pâte. Mélangez les dés de papaye et de mangue, et répartissez-les sur la crème. Décorez avec du zeste de citron vert et servez aussitôt.

Pour des tartelettes aux fruits d'été, préparez la pâte et la crème comme ci-dessus. Répartissez la crème sur la pâte cuite. Faites chauffer 3 cuillerées à soupe de gelée de groseilles avec le zeste râpé et le jus d'un citron vert. Faites cuire jusqu'à obtention d'un mélange sirupeux. Ajouter 150 g de myrtilles et 150 g de framboises. Répartissez cette préparation sur la crème.

irrésistibles gourmandises

gelée aux fraises et sabayon

Pour **6 personnes**
Préparation **25 minutes**
+ trempage et réfrigération

4 c. à s. d'**eau**
1 sachet ou 3 c. à c. de **gélatine en poudre**
40 g de **sucre en poudre**
500 ml de **vin rosé**
250 g de petites **fraises** équeutées et coupées en deux

Sabayon
le **zeste** finement râpé d'un **citron jaune**
25 g de **sucre en poudre**
6 c. à s. de **vin rosé**
250 ml de **crème fraîche**

Versez l'eau dans un bol ou dans une tasse. Saupoudrez de gélatine. Inclinez le bol jusqu'à ce que l'eau ait complètement imbibé la poudre. Laissez reposer 5 minutes.

Faites chauffer le bol dans une petite casserole d'eau frémissante pendant 5 minutes jusqu'à ce qu'un liquide clair se forme. Hors du feu, incorporez le sucre et remuez jusqu'à ce qu'il soit dissous. Laissez tiédir légèrement puis ajoutez le rosé.

Répartissez les fraises dans 6 grandes flûtes à champagne. Versez la gelée dans les verres puis faites prendre au réfrigérateur.

Préparez le sabayon. Mélangez ensemble le zeste de citron, le sucre et le rosé. Réservez. Au moment de servir, fouettez la crème fraîche jusqu'à ce que des pointes souples se forment. Incorporez progressivement le mélange zeste-sucre-rosé. Répartissez le sabayon sur la gelée et servez.

Pour une gelée pétillante aux framboises, faites dissoudre la gélatine comme ci-dessus. Ajoutez 25 g de sucre en poudre. Lorsque le mélange est froid, incorporez 200 ml de jus d'orange sanguine (ou du jus d'orange ordinaire) et 500 ml de mousseux bon marché. Répartissez 150 g de framboises fraîches ou surgelées dans les flûtes. Ajoutez la gelée. Faites prendre au réfrigérateur. Servez nature, sans sabayon.

soufflé au cassis et à la menthe

Pour **6 personnes**
Préparation **40 minutes**
+ réfrigération
Cuisson **18 à 20 minutes**

250 g de **cassis** (décongelé s'il est surgelé)
6 c. à s. d'**eau**
4 c. à c. de **gélatine en poudre**
4 **œufs**, blancs et jaunes séparés
200 g de **sucre en poudre**
250 ml de **crème fraîche**
5 c. à s. de **menthe fraîche** ciselée
sucre glace pour décorer

Chemisez les parois d'un moule à soufflé avec une double épaisseur de papier sulfurisé. Faites dépasser le papier de 6 cm au-dessus du bord. Mettez le cassis et 2 cuillerées à soupe d'eau dans une casserole. Couvrez et faites chauffer 5 minutes à feu doux. Réduisez le mélange en purée lisse puis passez-le au tamis.

Versez l'eau restante dans un petit bol. Saupoudrez de gélatine. Laissez imbiber et reposer 5 minutes puis faites chauffer le bol dans une casserole d'eau frémissante pendant 3 à 4 minutes.

Mettez les jaunes d'œufs et le sucre dans un grand bol posé au-dessus d'une casserole d'eau frémissant. Fouettez pendant 10 minutes jusqu'à ce que le mélange devienne très épais et blanc. Hors du feu, continuez de fouetter jusqu'à complet refroidissement. Incorporez progressivement la gélatine dissoute, puis la purée de cassis.

Fouettez la crème fraîche, puis incorporez-la à la préparation au cassis avec la menthe. Fouettez les blancs d'œufs en neige ferme. Incorporez-les progressivement au mélange au cassis. Répartissez cette mousse dans le moule chemisé : elle doit remonter le long du papier. Faites prendre 4 heures au réfrigérateur.

Retirez le papier sulfurisé. Saupoudrez de sucre glace tamisé et servez aussitôt.

génoise aux fruits rouges

Pour **6 à 8 personnes**
Préparation **30 minutes**
+ refroidissement
Cuisson **10 à 12 minutes**

4 **œufs**
100 g de **sucre en poudre**
100 g de **farine** ordinaire
le **zeste** finement râpé d'un **citron jaune** + 2 c. à s. de **jus**
150 ml de **crème fraîche**
150 g de **fromage blanc**
3 c. à s. de **lemon curd** (crème de citron)
500 g de petites **fraises** coupées en deux
150 g de **myrtilles**
4 c. à s. de **gelée de groseilles**
1 c. à s. d'**eau** (ou de **jus de citron**)

Fouettez les œufs et le sucre dans un saladier jusqu'à épaississement (on doit voir les traces du fouet). Tamisez la farine au-dessus du saladier puis remuez très délicatement. Ajoutez le zeste et le jus de citron. Remuez brièvement. Versez la pâte dans un moule à tarte beurré et fariné de 25 cm de diamètre. Inclinez le moule pour étaler la pâte en couche uniforme.

Faites cuire 10 à 12 minutes dans un four préchauffé à 180 °C jusqu'à ce que le dessus soit doré et que le centre soit souple au toucher. Laissez refroidir 5 à 10 minutes dans le moule puis démoulez délicatement et laissez refroidir sur une grille.

Fouettez la crème jusqu'à ce que des pointes souples se forment. Incorporez le fromage blanc et le lemon curd. Déposez la génoise sur un plat de service. Étalez la crème sur la génoise. Répartissez les fraises et les myrtilles sur la crème. Faites chauffer la gelée de groseilles dans une petite casserole avec 1 cuillerée à soupe d'eau (ou de jus de citron). Badigeonnez les fruits avec ce mélange.

Pour une variante au Pimm's (alcool anglais à base de gin), préparez la génoise comme ci-dessus, puis garnissez-la avec un mélange de crème fraîche fouettée (300 ml) et de zeste d'orange râpé (une demi-orange). Parsemez la crème de fraises (500 g) en lamelles et de framboises (150 g) préalablement marinées (30 minutes) dans 3 cuillerées à soupe de Pimm's pur et 2 cuillerées à soupe de sucre en poudre.

gâteau meringué aux noisettes

Pour **8 à 10 personnes**
Préparation **30 minutes**
+ refroidissement
et réfrigération
Cuisson **1 heure à 1 h 15**

5 **blancs d'œufs**
300 g de **sucre en poudre**
1 c. à s. de **fécule de maïs**
125 g de **noisettes** mondées, grillées et broyées finement
250 g de **chocolat noir** cassé en morceaux
200 ml de **crème fraîche**
cacao en poudre pour décorer

Noisettes enrobées
50 g de **chocolat noir**
cassé en morceaux
50 g de **noisettes**

Fouettez les blancs d'œufs en neige ferme puis incorporez-leur progressivement le sucre jusqu'à obtention d'un mélange épais et satiné (voir p. 10). Ajoutez la fécule et les noisettes broyées. Mélangez. Transvasez le mélange dans une grande poche munie d'une douille unie de 1 cm. Dessinez 3 disques de 23 cm de diamètre sur 3 carrés de papier sulfurisé. Posez chaque carré sur une plaque de cuisson. Déposez la pâte sur le papier en partant du centre de chaque disque. Décrivez une spirale continue. Arrêtez-vous à la limite de chaque cercle.

Faites cuire 1 heure à 1 h 15 dans un four préchauffé à 150 °C. Sortez les plaques du four et posez les disques de pâte sur une grille. Laissez refroidir complètement. Retirez le papier sulfurisé.

Faites fondre le chocolat au bain-marie (voir p. 11) avec la crème. Laissez refroidir, puis faites prendre 1 heure au réfrigérateur.

Préparez les noisettes enrobées. Faites fondre le chocolat, puis plongez-y les noisettes à l'aide d'une fourchette. Posez les noisettes enrobées de chocolat sur un morceau de papier sulfurisé.

Fouettez le mélange chocolat-crème. Utilisez cette ganache pour assembler les disques de meringue. Décorez le gâteau avec les noisettes enrobées. Saupoudrez de cacao en poudre tamisé et servez.

mousses aux fruits rouges

Pour **6 personnes**
Préparation **45 minutes**
+ refroidissement
et réfrigération
Cuisson **12 à 15 minutes**

3 **œufs**
75 g de **sucre en poudre**
75 g de **farine** ordinaire
tamisée

Mousse
2 c. à c. de **gélatine
en poudre**
2 c. à s. d'**eau** froide
2 **blancs d'œufs**
75 g de **sucre en poudre**
150 ml de **crème fraîche**
200 g de **fruits rouges**
surgelés, juste décongelés,
réduits en purée

Pour décorer
quelques **groseilles**
et **framboises** entières
+ quelques **fraises**
coupées en deux
quelques petites **feuilles
de menthe fraîche**
sucre glace

Fouettez les œufs avec le sucre. Incorporez la farine. Tapissez de papier sulfurisé le fond et les parois d'un moule rectangulaire de 35 x 25 cm. Versez la pâte dans le moule.

Faites cuire 12 à 15 minutes dans un four préchauffé à 180 °C jusqu'à ce que le biscuit soit doré et souple au toucher. Laissez refroidir dans le moule.

Découpez 12 disques de 7,5 cm dans le biscuit à l'aide d'un emporte-pièce. Découpez 6 bandes de plastique de 27 x 7,5 cm, dans une chemise en plastique neuve par exemple. Tournez une bandelette autour de chaque disque de pâte. Attachez les deux extrémités avec du ruban adhésif. Posez les disques et leur bandelette de plastique sur une plaque de cuisson.

Versez l'eau dans un bol. Saupoudrez de gélatine et laissez imbiber 5 minutes. Faites chauffer le bol dans une casserole d'eau frémissante jusqu'à obtention d'un liquide clair. Fouettez les blancs d'œufs en neige ferme puis incorporez-leur progressivement le sucre. Fouettez la crème fraîche dans un autre bol. Versez-y la gélatine en filet régulier et mélangez. Incorporez ensuite la purée de fruits et les blancs en neige.

Versez cette mousse dans les cylindres en plastique. Posez les disques de pâte restants sur la mousse. Faites prendre 4 à 5 heures au réfrigérateur. Retirez les bandelettes, décorez chaque gâteau avec des fruits rouges et des feuilles de menthe, puis saupoudrez de sucre glace tamisé et servez.

gâteau à la ricotta

Pour **6 personnes**
Préparation **20 minutes**
+ refroidissement
et réfrigération
Cuisson **47 à 50 minutes**

480 g de **ricotta**
425 g de **fromage frais**
2 **œufs**
1 c. à c. d'**extrait de vanille**
125 g de **sucre en poudre**
½ petite **orange**
1 c. à c. de **clous de girofle**
2 c. à s. de **cassonade**
1 bâton de **cannelle**
175 ml d'**eau**
375 g de **prunes rouges** coupées en deux et dénoyautées
2 c. à s. de **gelée de groseilles**

Huilez légèrement un moule à pain (contenance 500 g) et tapissez-le de papier sulfurisé. Mélangez la ricotta, le fromage frais, les œufs, l'extrait de vanille et le sucre. Versez cette préparation dans le moule. Posez ce dernier dans un petit plat à gratin. Versez de l'eau chaude dans le plat sur une hauteur de 2,5 cm et faites cuire environ 40 minutes dans un four préchauffé à 160 °C. Sortez le moule du plat et laissez le gâteau refroidir dans le moule.

Piquez les clous de girofle dans l'orange. Mettez-la dans une cocotte, avec la cassonade, la cannelle et l'eau. Portez à ébullition, réduisez le feu et ajoutez les prunes. Couvrez et laissez mijoter 5 minutes à feu doux.

Sortez les prunes de la cocotte avec une écumoire. Versez la gelée de groseilles dans la cocotte et faites bouillir environ 2 minutes. Retirez l'orange et le bâton de cannelle, puis versez ce sirop sur les prunes. Laissez refroidir et placez au réfrigérateur.

Démoulez le gâteau et ôtez le papier sulfurisé. Coupez des tranches, nappez de prunes au sirop et servez.

Pour une variante tropicale, préparez le gâteau comme ci-dessus. Réduisez en purée la chair d'une mangue avec le jus d'une orange et d'un citron vert. Passez au tamis et ajoutez 1 cuillerée à soupe de sucre glace et la pulpe de 2 fruits de la passion. Versez cette sauce sur les tranches de gâteau.

gâteau de polenta au citron

Pour **8 à 10 personnes**
Préparation **20 minutes**
+ refroidissement
Cuisson **30 minutes**

125 g de **farine** ordinaire
1 ½ c. à c. de **levure chimique**
125 g de **semoule de maïs** (polenta)
3 **œufs**
2 **blancs d'œufs**
175 g de **sucre roux**
le **zeste** râpé et le **jus** de 2 **citrons jaunes**
100 ml d'**huile végétale**
150 ml de **babeurre**

Fraises au vin rouge
300 ml de **vin rouge**
1 **gousse de vanille** fendue
150 g de **sucre en poudre**
2 c. à s. de **vinaigre balsamique**
250 g de **fraises** équeutées

Tamisez la farine et la levure au-dessus d'un saladier. Ajoutez la polenta puis réservez. Fouettez les œufs avec les blancs d'œufs et le sucre pendant 3 à 4 minutes jusqu'à ce que le mélange blanchisse et épaississe. Incorporez la préparation à la polenta, ainsi que le zeste et le jus de citron, l'huile et le babeurre. Mélangez.

Tapissez de papier sulfurisé le fond d'un moule à bord amovible de 25 cm de diamètre, préalablement huilé. Versez la pâte dans le moule et faites cuire 30 minutes dans un four préchauffé à 180 °C. Laissez refroidir 10 minutes, puis démoulez sur une grille.

Versez le vin, la gousse de vanille et le sucre dans une casserole. Faites chauffer à feu doux jusqu'à ce que le sucre soit dissous. Augmentez le feu et laissez frémir 10 à 15 minutes jusqu'à ce que le mélange réduise et épaississe. Laissez refroidir puis incorporez le vinaigre balsamique et les fraises.

Coupez le gâteau en parts, nappez de fraises au vin rouge et servez.

Pour une variante au sirop de citron, préparez le gâteau comme ci-dessus. Dans une casserole, faites chauffer le zeste râpé et le jus de 2 citrons avec 200 g de sucre en poudre et 2 cuillerées à soupe d'eau, jusqu'à ce que le sucre soit dissous. Démoulez le gâteau. Nappez de sirop de citron et laissez imbiber 15 minutes. Servez chaud avec de la crème fraîche ou du yaourt grec.

crèmes au café

Pour **6 personnes**
Préparation **20 minutes**
+ réfrigération
Cuisson **30 minutes**

2 **œufs**
2 **jaunes d'œufs**
1 boîte (400 g) de **lait concentré entier**
200 ml de **café noir corsé**
150 ml de **crème fraîche**
cacao en poudre pour décorer
quelques **gâteaux secs** pour accompagner

Fouettez brièvement les œufs entiers, les jaunes d'œufs et le lait concentré. Incorporez progressivement le café.

Filtrez le mélange puis répartissez-le dans 6 petites tasses huilées (contenance 125 ml). Déposez les tasses dans un plat à gratin. Versez de l'eau chaude dans le plat jusqu'à mi-hauteur des tasses. Faites cuire 30 minutes dans un four préchauffé à 160 °C jusqu'à ce que les crèmes soient juste prises. Sortez les tasses de l'eau, laissez refroidir, puis placez 4 à 5 heures au réfrigérateur.

Juste avant de servir, fouettez la crème jusqu'à ce que des pointes souples se forment. Déposez une cuillerée de crème fouettée dans chaque tasse, saupoudrez avec un peu de cacao en poudre tamisé et servez avec quelques gâteaux secs.

Pour des crèmes au chocolat noir, faites chauffer 450 ml de lait et 150 ml de crème fraîche dans une casserole. Aux premiers bouillons, retirez la casserole du feu et ajoutez 200 g de chocolat noir cassé en morceaux. Laissez fondre. À part, mélangez 2 œufs entiers et 2 jaunes d'œufs avec 50 g de sucre en poudre et ¼ de cuillerée à café de cannelle en poudre. Incorporez progressivement cette préparation au chocolat. Remuez jusqu'à obtention d'un mélange lisse. Filtrez la préparation et répartissez-la dans les tasses. Faites cuire comme ci-dessus. Décorez avec des cuillerées de crème fouettée et des copeaux de chocolat.

gâteau roulé au chocolat et aux châtaignes

Pour **6 personnes**
Préparation **20 minutes**
+ refroidissement
Cuisson **25 minutes**

125 g de **chocolat noir** cassé en morceaux
5 **œufs**, blancs et jaunes séparés
175 g de **sucre en poudre** + quelques pincées pour saupoudrer le papier
2 c. à s. de **cacao en poudre** tamisé
250 g **de purée de châtaignes** non sucrée (conserve)
4 c. à s. de **sucre glace**
1 c. à s. de **cognac**
250 ml de **crème fraîche**
sucre glace pour décorer

Faites fondre le chocolat (voir p. 11) puis laissez-le refroidir 5 minutes. Fouettez les jaunes d'œufs avec le sucre pendant 5 minutes jusqu'à ce que le mélange blanchisse et épaississe. Incorporez le chocolat fondu et le cacao en poudre. Dans un saladier, fouettez les blancs d'œufs en neige. Incorporez-les délicatement à la préparation au chocolat.

Huilez et tapissez de papier sulfurisé un moule à roulé de 33 x 23 cm. Étalez la pâte dans le moule jusque dans les angles et lissez la surface avec une spatule. Faites cuire 20 minutes dans un four préchauffé à 180 °C, jusqu'à ce que le gâteau soit gonflé et cuit.

Saupoudrez un grand morceau de papier sulfurisé de sucre en poudre. Sortez le gâteau du four et démoulez-le aussitôt sur le papier sucré. Retirez le papier qui chemisait le moule et recouvrez avec un torchon propre. Laissez refroidir.

Mixer la purée de châtaignes et le sucre glace jusqu'à obtenir un mélange lisse. Transvasez le mélange dans un bol et ajoutez le cognac. Avec un fouet, incorporez ensuite délicatement la crème fraîche. Étalez cette préparation sur le gâteau jusqu'à 1 cm des bords. Enroulez le gâteau sur lui-même, en partant d'un petit côté. Avant de servir, saupoudrez de sucre glace tamisé.

flan au chocolat et aux amaretti

Pour **4 personnes**
Préparation **20 minutes**
+ réfrigération
Cuisson **55 à 65 minutes**

175 g de **sucre semoule**
125 ml d'**eau froide**
2 c. à s. de **cacao en poudre**
4 c. à s. d'**eau bouillante**
2 **œufs**
2 **jaunes d'œufs**
65 g de biscuits **amaretti** émiettés
450 ml de **lait**
150 ml de **café noir corsé**

Pour décorer
copeaux de chocolat ou quelques biscuits **amaretti** morcelés

Faites chauffer 125 g de sucre dans l'eau froide, en remuant de temps en temps. Quand le sucre est dissous, faites bouillir 5 minutes sans remuer jusqu'à ce que le mélange soit bien doré.

Dans un petit bol, mélangez le cacao et 2 cuillerées à soupe d'eau bouillante. Dans un autre bol, mélangez le reste de sucre, les œufs entiers, les jaunes d'œufs et les biscuits.

Dès que le sirop est caramélisé, retirez la casserole du feu. Ajoutez le reste d'eau bouillante et inclinez la casserole pour mélanger. Versez le caramel dans un moule. Inclinez le moule pour bien en napper le fond et les bords. Posez le moule dans un plat à gratin.

Versez le lait dans la casserole qui a servi à faire le caramel et faites chauffer. Aux premiers bouillons, retirez la casserole du feu. Mélangez le cacao dilué et la préparation aux œufs. Ajoutez progressivement le lait chaud, puis le café, avec un fouet. Versez lentement cette préparation dans le moule caramélisé.

Versez de l'eau chaude dans le plat à gratin jusqu'à mi-hauteur du moule. Faites cuire 50 à 60 minutes dans un four préchauffé à 160 °C.

Sortez le moule du plat à gratin. Laissez refroidir puis placez 4 à 5 heures au réfrigérateur minimum. Démoulez et parsemez de copeaux de chocolat ou de biscuits morcelés.

gâteau roulé à la poire et aux noisettes

Pour **6 à 8 personnes**
Préparation **30 minutes**
+ refroidissement
Cuisson **18 à 20 minutes**

125 g de **noisettes**
5 **œufs**, blancs et jaunes séparés
175 g de **sucre en poudre** + quelques pincées pour saupoudrer le papier
1 **poire** juste mûre, pelée et râpée grossièrement
200 g de **mascarpone**
2 c. à s. de **sucre glace**
250 g d'**abricots** frais hachés grossièrement

Huilez et tapissez de papier sulfurisé un moule de 30 x 23 cm. Étalez les noisettes sur du papier aluminium et faites-les griller 3 à 4 minutes sous le gril du four. Hachez-en grossièrement 2 cuillerées à soupe que vous réserverez pour le décor. Hachez les autres finement.

Fouettez les jaunes d'œufs et le sucre jusqu'à obtention d'un mélange blanc et épais. Ajoutez les noisettes hachées et la poire râpée. Battre les blancs d'œufs en neige. Incorporez-les progressivement à la préparation aux noisettes.

Étalez le mélange dans le moule. Faites cuire 15 minutes dans un four préchauffé à 180 °C jusqu'à ce que le dessus soit doré. Couvrez et laissez refroidir au moins 1 heure.

Fouettez le mascarpone et le sucre glace jusqu'à obtenir un mélange souple. Sur le plan de travail, déposez un morceau de papier sulfurisé sur un torchon de cuisine humide. Saupoudrez le papier de sucre en poudre. Démoulez le gâteau sur le papier, puis ôtez le papier qui chemisait le moule.

Étalez le mascarpone sur le gâteau. Parsemez d'abricots hachés. Enroulez le gâteau sur lui-même en partant d'un petit côté. Aidez-vous du torchon et du papier sulfurisé. Déposez le roulé sur un plat de service et parsemez de noisettes.

verrines crème de groseilles vertes et biscuits au citron

Pour **6 personnes**
Préparation **30 minutes**
+ refroidissement
Cuisson **20 à 25 minutes**

500 g de **groseilles à maquereau** égrappées
75 g de **sucre en poudre**
2 c. à s. de **sirop de fleurs de sureau**
2 c. à s. d'**eau**
150 ml de **crème fraîche**
135 g de **crème pâtissière** prête à l'emploi

Biscuits au citron
50 g de **beurre doux**
50 g de **sucre en poudre**
50 g de **mélasse**
le **zeste** râpé d'un **citron jaune** + 1 c. à s. de **jus**
125 g de **farine** ordinaire
½ c. à c. de **bicarbonate de soude**
sucre glace pour décorer

Mettez les groseilles, le sucre, le sirop de sureau et l'eau dans une casserole. Couvrez et faites cuire 10 minutes. Mixer les groseilles avec le jus de cuisson afin d'obtenir une purée lisse. Vous pouvez aussi presser les ingrédients à travers un tamis. Laissez refroidir.

Fouettez la crème fraîche jusqu'à ce que des pointes souples se forment. Incorporez la crème pâtissière et la purée de groseilles. Répartissez ce mélange dans des petits verres et placez au réfrigérateur.

Préparez les biscuits. Dans une petite casserole, faites chauffer le beurre, le sucre, la mélasse, le zeste et le jus de citron jusqu'à ce que le beurre ait fondu et que le sucre soit dissous. Ajoutez la farine et le bicarbonate. Mélangez intimement.

Déposez des cuillerées à café de pâte sur 2 plaques de cuisson huilées, en les espaçant largement. Faites cuire 10 à 12 minutes dans un four préchauffé à 180 °C jusqu'à ce que le tour des biscuits commence à dorer. Laissez refroidir 10 minutes et saupoudrez de sucre glace tamisé. Servez ces petits biscuits avec la crème aux groseilles.

petits soufflés fraises lavande

Pour **6 personnes**
Préparation **40 minutes**
+ réfrigération
Cuisson **13 à 14 minutes**

500 g de **fraises** fraîches équeutées
4 c. à s. d'**eau**
4 c. à c. de **gélatine en poudre**
4 **œufs**, blancs et jaunes séparés
150 g de **sucre en poudre**
4 à 5 **brins de lavande**
250 ml de **crème fraîche**
quelques gouttes de **colorant alimentaire** rose ou rouge (facultatif)
un petit **bouquet de lavande** pour décorer

Tapissez de papier sulfurisé 6 petits moules à soufflé. Faites dépasser le papier de 4 cm au-dessus du bord. Nouez une cordelette pour maintenir le papier en place. Coupez 6 fraises en tranches et répartissez-les dans le fond des moules. Réduisez les fraises restantes en purée granuleuse.

Versez l'eau dans un petit bol. Saupoudrez de gélatine. Laissez reposer 5 minutes, puis posez le bol dans une casserole remplie d'eau bouillante jusqu'à mi-hauteur. Laissez mijoter 3 à 4 minutes.

Détachez les fleurs de lavande. Mettez les jaunes d'œufs, le sucre et les fleurs de lavande effritées dans un grand bol. Posez le bol au-dessus d'une casserole d'eau frémissante. Fouettez pendant 10 minutes. Sortez le bol de la casserole et continuez de fouetter jusqu'à complet refroidissement. Incorporez progressivement la gélatine dissoute puis ajoutez la purée de fraises.

Fouettez la crème fraîche. Incorporez-la délicatement à la préparation aux fraises, ainsi que le colorant (facultatif). Battre les blancs d'œufs en neige. Incorporez-les progressivement à la préparation aux fraises. Versez la mousse dans les moules sur toute la hauteur du papier sulfurisé. Placer 4 heures au réfrigérateur.

Ouvrez légèrement les corolles en papier et glissez quelques petits brins de lavande derrière la cordelette.

meringues chocolatées et crème d'orange

Pour **6 personnes**
Préparation **25 minutes**
+ refroidissement
Cuisson **1 h 15 à 1 h 30**

100 g de **chocolat noir** cassé en morceaux + quelques **copeaux** pour décorer
3 **blancs d'œufs**
175 g de **sucre en poudre**
1 c. à c. de **fécule de maïs**
1 c. à c. de **vinaigre de vin blanc**
½ c. à c. d'**extrait de vanille**
250 ml de **crème fraîche**
2 **oranges**

Faites fondre le chocolat (voir p. 11). Laissez refroidir 10 minutes. Fouettez les blancs d'œufs en neige ferme. Incorporez progressivement le sucre, sans cesser de fouetter, jusqu'à obtention d'un mélange épais et satiné (voir p. 10).

Mélangez la fécule avec le vinaigre et l'extrait de vanille. Incorporez délicatement ce mélange aux blancs en neige. Ajoutez le chocolat fondu et mélangez brièvement pour obtenir un effet marbré. Déposez 6 tas de pâte à meringue sur une grande plaque de cuisson recouverte de papier sulfurisé. Avec le dos d'une cuillère, faites un creux au centre de chaque tas.

Faites cuire 1 h 15 à 1 h 30 dans un four préchauffé à 110 °C jusqu'à ce que les meringues se détachent facilement du papier. Laissez refroidir.

Juste avant de servir, fouettez la crème fraîche jusqu'à ce que des pointes souples se forment. Râpez le zeste d'une orange et incorporez-le à la crème. Pelez les 2 oranges à vif, détachez les quartiers et ajoutez le jus à la crème. Répartissez la crème à l'orange sur les meringues. Décorez avec les quartiers d'orange et des copeaux de chocolat.

petits pots de crème brûlée à la vanille

Pour **6 personnes**
Préparation **20 minutes**
+ repos et réfrigération
Cuisson **25 à 30 minutes**

1 **gousse de vanille**
600 ml de **crème fraîche**
8 **jaunes d'œufs**
65 g de **sucre** en poudre
3 c. à s. de **sucre glace**

Dans une casserole, faites chauffer la crème et la gousse de vanille fendue en deux dans la longueur. Aux premiers bouillons, retirez la casserole du feu et laissez reposer 15 minutes. Grattez les petites graines noires de vanille dans la casserole. Retirez la gousse.

Avec une fourchette, mélangez les jaunes d'œufs et le sucre. Réchauffez la crème puis incorporez-la au mélange œufs-sucre. Filtrez et reversez.

Disposez 6 ramequins dans un plat à gratin. Répartissez-y la crème. Versez de l'eau chaude dans le plat jusqu'à mi-hauteur. Faites cuire 20 à 25 minutes dans un four préchauffé à 180 °C.

Laissez refroidir les ramequins dans l'eau, puis sortez-les du plat et placez-les 3 à 4 heures au réfrigérateur. Avant de servir, saupoudrez de sucre glace et caramélisez le sucre avec un chalumeau (ou sous le gril du four), puis laissez reposer.

Pour une variante à l'amaretto, supprimez la gousse de vanille. Mélangez les jaunes d'œufs et le sucre comme ci-dessus. Faites chauffer la crème fraîche. Aux premiers bouillons, incorporez-la progressivement au mélange œufs-sucre, en ajoutant 125 ml d'Amaretto Disaronno. Filtrez le mélange et poursuivez comme ci-dessus. Lorsque les crèmes sont froides, parsemez-les d'amandes effilées (6 cuillerées à café). Saupoudrez de sucre glace et faites caraméliser.

cheese-cake aux myrtilles et aux cerises

Pour **6 personnes**
Préparation **30 minutes**
+ réfrigération
Cuisson **5 minutes**

75 g de **beurre doux**
2 c. à s. de **mélasse**
175 g de **biscuits sablés** émiettés
300 g de **fromage frais**
200 g de **fromage blanc** maigre
50 g de **sucre en poudre**
le **zeste** râpé et le **jus** d'un **citron jaune**
½ c. à c. d'**extrait de vanille**
150 ml de **crème fraîche**

Garniture
150 g de **myrtilles** surgelées
150 g de **cerises** surgelées dénoyautées
4 c. à s. d'**eau**
2 c. à s. de **sucre en poudre**
2 c. à c. de **fécule de maïs**

Dans une casserole, faites fondre le beurre et la mélasse. Ajoutez les biscuits et remuez soigneusement. Versez le mélange dans un moule à bord amovible huilé de 20 cm de diamètre. Avec le dos d'une cuillère, tassez bien le mélange en le faisant remonter le long des bords, sur deux tiers de la hauteur. Placez au réfrigérateur.

Mettez le fromage frais dans un saladier. Morcelez-le avec une cuillère. Ajoutez le fromage blanc, le sucre, le zeste de citron et l'extrait de vanille. Incorporez progressivement le jus de citron et remuez jusqu'à obtention d'un mélange lisse.

Dans un autre bol, fouettez la crème fraîche jusqu'à ce que des pointes souples se forment. Incorporez-la au mélange précédent. Versez cette préparation dans le moule. Lissez la surface. Faites prendre 4 à 5 heures au réfrigérateur et si possible jusqu'au lendemain.

Faites chauffer les fruits dans une casserole pour les faire dégeler, avec l'eau et le sucre, pendant 3 à 4 minutes. Délayez la fécule dans un peu d'eau, puis versez-la dans la casserole. Portez à ébullition en remuant et faites cuire 1 minute jusqu'à épaississement. Laissez refroidir.

Juste avant de servir, détachez le gâteau des parois du moule, retirez le bord amovible et posez le cheese-cake sur un plat de service. Coupez des parts, nappez de fruits en compote et servez.

crèmes brûlées aux framboises et au champagne

Pour **6 personnes**
Préparation **20 minutes**
+ refroidissement
Cuisson **25 minutes**

250 g de **framboises** fraîches
+ quelques-unes, saupoudrées de sucre glace, pour décorer (facultatif)
6 **jaunes d'œufs**
150 g de **sucre en poudre**
125 ml de **champagne** brut
125 ml de **crème fraîche**
3 c. à s. de **sucre glace**

Répartissez les framboises dans 6 ramequins. Mettez les jaunes d'œufs et le sucre dans un grand bol. Posez le bol au-dessus d'une casserole d'eau frémissante en vous assurant que la base du bol ne touche pas l'eau. Fouettez les jaunes d'œufs et le sucre jusqu'à obtention d'un mélange léger et mousseux puis incorporez progressivement le champagne et la crème. Continuez de fouetter pendant environ 20 minutes, jusqu'à ce que la préparation épaississe et bouillonne.

Versez la crème dans les ramequins, sur les framboises, et laissez refroidir environ 1 heure à température ambiante. Saupoudrez de sucre glace. Faites caraméliser le sucre avec un chalumeau (ou sous le gril du four). Attendez 20 à 30 minutes avant de servir. Décorez éventuellement avec quelques framboises légèrement saupoudrées de sucre glace.

Pour une variante aux pêches et au cidre, répartissez 2 pêches coupées en dés dans 6 ramequins. Fouettez les jaunes d'œufs et le sucre comme ci-dessus. Incorporez progressivement 125 ml de cidre brut à la place du champagne. Poursuivez comme ci-dessus.

trifle ananas gingembre

Pour **4 à 5 personnes**
Préparation **20 minutes**

200 g de **cake au gingembre** coupé en petits morceaux (dans les épiceries anglo-saxonnes)
½ **ananas** frais, pelé et coupé en morceaux (sans le cœur dur)
1 **orange**
2 **kiwis** pelés, coupés en deux puis en tranches
3 c. à s. de **rhum**
425 g de **crème pâtissière** prête à l'emploi
300 ml de **crème fraîche**
le **zeste** râpé d'un **citron vert**

Disposez les morceaux de cake dans le fond d'un plat de service en verre (contenance 1,2 l) en une couche uniforme. Prélevez le zeste de l'orange puis pelez-la à vif et détachez les quartiers. Disposez l'ananas, les quartiers d'orange et les kiwis dans le plat, sur la couche de cake. Arrosez de rhum. Versez la crème pâtissière sur le tout. Lissez la surface.

Dans un saladier, fouettez la crème fraîche jusqu'à ce que des pointes souples se forment. Incorporez la moitié du zeste d'orange et de citron. Étalez la crème fouettée sur la crème pâtissière. Décorez avec le reste de zeste d'orange et de citron. Placez au réfrigérateur jusqu'au moment de servir.

Pour une variante aux framboises et aux pêches, remplacez le cake au gingembre par 100 g de génoise ou de biscuit de Savoie. Répartissez 150 g de framboises fraîches et 2 pêches mûres en morceaux sur la génoise. Arrosez avec 3 cuillerées à soupe de xérès sec. Nappez de crème pâtissière. Fouettez la crème fraîche, parfumez-la avec le zeste râpé d'un citron jaune et étalez-la sur la crème pâtissière. Parsemez d'amandes effilées grillées (2 cuillerées à soupe).

cheese-cake florentin à la vanille

Pour **8 à 10 personnes**
Préparation **25 minutes**
+ réfrigération
Cuisson **45 minutes**

125 g de **chocolat noir**
50 g d'**amandes effilées**, légèrement grillées
2 ½ c. à s. de **zeste d'agrumes confits**, haché finement
6 **cerises confites**, hachées finement
175 g de **biscuits sablés** émiettés
65 g de **beurre doux** fondu
480 g de **fromage frais**
1 c. à c. d'**extrait de vanille**
150 ml de **crème fraîche**
150 g de **yaourt grec**
125 g de **sucre en poudre**
3 **œufs**

Huilez un moule à fond amovible de 20 cm de diamètre. Tapissez les parois avec une bande de papier sulfurisé. Cassez la moitié du chocolat en petits morceaux. Broyez légèrement les amandes et mélangez-les avec le chocolat, les fruits confits, les biscuits émiettés et le beurre. Mélangez soigneusement, puis versez la préparation dans le moule. Tassez bien le mélange en le faisant légèrement remonter le long des parois.

Dans un saladier, fouettez le fromage frais et l'extrait de vanille. Incorporez la crème fraîche, le yaourt, le sucre et les œufs, jusqu'à obtention d'un mélange lisse.

Versez la préparation dans le moule et faites cuire 45 minutes dans un four préchauffé à 160 °C (th. 3), jusqu'à ce que le gâteau soit juste pris sur le tour mais encore « tremblotant » au centre. Laissez le cheese-cake refroidir dans le four éteint. Placez-le ensuite au réfrigérateur.

Démoulez le cheese-cake sur un plat de service. Retirez le papier sulfurisé. Faites fondre le chocolat restant (voir p. 11) puis versez-le sur le tour du gâteau. Placez au réfrigérateur jusqu'au moment de servir.

Pour une variante aux cerises, faites fondre 75 g de beurre avec 2 cuillerées à soupe de mélasse. Ajoutez 175 g de biscuits sablés émiettés. Tassez ce mélange dans le fond et sur les parois du moule. Préparez la garniture et faites cuire comme ci-dessus. Nappez de compote de cerises (425 g).

petits panna cottas au romarin

Pour 6 personnes
Préparation 15 minutes
+ infusion et réfrigération
Cuisson 15 minutes

3 c. à s. d'**eau** froide
1 sachet ou 3 c. à c. de **gélatine en poudre**
450 ml de **crème fraîche**
150 ml de **lait**
4 c. à s. de **miel épais**
2 c. à c. de **feuilles de romarin** très finement ciselées

Compote d'abricots
200 g d'**abricots secs** coupés en morceaux
300 ml d'**eau**
1 c. à s. de **miel solide**
2 c. à c. de **feuilles de romarin** très finement ciselées

Pour décorer
quelques petits **brins de romarin**
sucre en poudre

Versez l'eau dans un petit bol ou dans une tasse. Saupoudrez de gélatine. Inclinez le bol pour que l'eau imbibe la poudre. Laissez reposer 5 minutes.

Faites chauffer dans une casserole la crème fraîche, le lait et le miel. Quand le mélange bout, ajoutez la gélatine, puis retirez la casserole du feu et remuez jusqu'à ce que la gélatine soit complètement dissoute. Ajoutez le romarin et laissez infuser 20 minutes, en remuant de temps en temps. Versez cette préparation dans 6 petits moules métalliques (contenance 150 ml), en la filtrant éventuellement. Laissez refroidir, puis faites prendre 4 à 5 heures au réfrigérateur.

Préparez la compote. Mettez tous les ingrédients dans une casserole, couvrez et faites mijoter 10 minutes. Laissez refroidir.

Plongez les moules dans de l'eau chaude pendant 10 secondes, puis démoulez les panna cottas sur 6 petites assiettes. Répartissez la compote sur les assiettes. Décorez avec quelques brins de romarin légèrement saupoudrés de sucre.

Pour des panna cottas à la vanille, grattez les graines d'une gousse de vanille et ajoutez-les au mélange crème-lait, avec la gousse à la place du romarin (étape 2). Retirez la gousse juste avant de verser la préparation dans les moules. Poursuivez comme ci-dessus. Démoulez et décorez avec des framboises fraîches.

verrines crème de pamplemousse

Pour **4 personnes**
Préparation **15 minutes**

2 **pamplemousses roses**
5 c. à s. de **cassonade** + quelques pincées pour décorer
250 ml de **crème fraîche**
150 g de **yaourt grec**
3 c. à s. de **sirop de fleurs de sureau**
½ c. à c. de **gingembre en poudre**
½ c. à c. de **cannelle en poudre**
galettes au gingembre pour accompagner (facultatif)

Râpez finement le zeste d'un des pamplemousses en veillant à ne pas entamer la peau blanche amère. Pelez les 2 pamplemousses à vif puis détachez les quartiers. Mettez-les dans un saladier, saupoudrez-les de sucre (2 cuillerées à soupe) et réservez.

Fouettez la crème fraîche dans un saladier jusqu'à ce qu'elle épaississe tout en restant souple. Incorporez le yaourt, le sirop de sureau, les épices, le zeste de pamplemousse et le sucre restant. Fouettez jusqu'à obtention d'un mélange lisse.

Choisissez de jolis verres et remplissez-les en alternant les couches de crème et de quartiers de pamplemousse. Décorez avec une pincée de cassonade. Servez aussitôt. Accompagnez de galettes au gingembre (facultatif).

Pour une variante aux oranges, râpez finement le zeste de 2 grosses oranges, puis pelez-les à vif et détachez les quartiers. Saupoudrez de sucre (2 cuillerées à soupe) et réservez. Fouettez la crème fraîche et parfumez-la comme ci-dessus, en remplaçant le zeste de pamplemousse par du zeste d'orange.

coupelles de tuiles crème à la fraise

Pour **6 personnes**
Préparation **40 minutes**
Cuisson **15 à 18 minutes**

2 **blancs d'œufs**
100 g de **sucre en poudre**
50 g de **beurre doux** fondu
quelques gouttes d'**extrait de vanille**
50 g de **farine** ordinaire

Crème à la fraise
250 ml de **crème fraîche**
4 c. à s. de **sucre glace** + quelques pincées pour décorer
2 c. à s. de **menthe fraîche** ciselée + quelques feuilles pour décorer
250 g de **fraises** coupées en deux (ou en tranches si elles sont grosses)

Mettez les blancs d'œufs dans un saladier. Remuez avec une fourchette. Incorporez le sucre, puis le beurre et l'extrait de vanille. Ajoutez la farine tamisée.

Déposez 1 cuillerée à soupe bombée de pâte sur une plaque de cuisson recouverte de papier sulfurisé. Déposez une deuxième cuillerée de pâte bien espacée de la première. Étalez la pâte de manière à obtenir 2 disques minces d'environ 13 cm de diamètre. Faites cuire 5 à 6 minutes dans un four préchauffé à 190 °C. Détachez-les délicatement du papier.

Posez chaque tuile sur une orange afin de lui donner la forme d'une coupelle. Accentuez les plis en pinçant la pâte entre les doigts puis laissez durcir 2-3 minutes. Enlevez délicatement l'orange. Répétez encore deux fois l'opération (étape 2 et 3) afin de confectionner 6 tuiles en tout.

Préparez la crème à la fraise. Fouettez légèrement la crème fraîche puis incorporez le sucre glace, la menthe et les fraises (réservez 6 demi-fraises pour décorer). Répartissez cette crème dans les coupelles, puis décorez avec les feuilles de menthe et les fraises. Saupoudrez de sucre glace tamisé.

Pour une variante aux fruits, préparez les coupelles comme ci-dessus, puis garnissez-les avec 200 g de fraises en lamelles, 2 kiwis pelés et coupés en tranches et 2 petites pêches mûres. Nappez de yaourt grec et arrosez avec un filet de miel liquide.

vacherin aux pêches et au chocolat

Pour **6 à 8 personnes**
Préparation **30 minutes**
+ refroidissement
Cuisson **1 h 30 à 1 h 45**

4 **blancs d'œufs**
125 g de **sucre en poudre**
100 g de **sucre de canne blond**
150 g de **chocolat noir** cassé en morceaux

Garniture
150 ml de **crème fraîche**
150 g de **yaourt grec**
2 c. à s. de **sucre en poudre**
3 **pêches** mûres dénoyautées et coupées en tranches

Tapissez de papier sulfurisé 2 plaques de cuisson. Dessinez un cercle de 18 cm sur chaque papier.

Fouettez les blancs d'œufs en neige ferme. Mélangez les 2 sucres, puis incorporez-les progressivement aux blancs d'œufs (une cuillerée à café à la fois) et continuez de fouetter pendant 1 à 2 minutes jusqu'à ce que le mélange devienne très épais et satiné (voir p. 10).

Répartissez la pâte à meringue sur les 2 plaques de cuisson. Étalez la pâte en couche uniforme, sans dépasser les limites des cercles. Faites cuire 1 h 30 à 1 h 45 dans un four préchauffé à 110 °C jusqu'à ce que les meringues se détachent facilement du papier. Laissez refroidir dans le four éteint.

Faites fondre le chocolat (voir p. 11), puis nappez-en le dessous de chaque meringue (réservez environ un tiers de chocolat fondu pour le décor). Laissez les meringues durcir, côté chocolaté vers le haut.

Juste avant de servir, fouettez la crème jusqu'à ce que des pointes souples se forment puis incorporez le yaourt et le sucre. Déposez une des meringues sur un plat de service, côté chocolaté vers le haut, nappez de crème puis parsemez de tranches de pêches. Recouvrez avec l'autre meringue, côté chocolaté vers le bas. Décorez avec le reste de chocolat fondu.

gâteau roulé meringué aux abricots

Pour **8 personnes**
Préparation **35 minutes**
+ refroidissement
Cuisson **25 minutes**

4 **blancs d'œufs**
250 g de **sucre en poudre**
+ quelques pincées
pour saupoudrer le papier
1 c. à c. de **fécule de maïs**
1 c. à c. de **vinaigre de vin blanc**
200 g d'**abricots secs**
300 ml d'**eau**
150 ml de **crème fraîche**
150 g de **fromage blanc**

Fouettez les blancs d'œufs en neige. Incorporez progressivement le sucre et continuez de fouetter jusqu'à ce que le mélange soit épais et satiné (voir p. 10).

Mélangez la fécule et le vinaigre jusqu'à obtention d'un mélange lisse. Incorporez-le aux blancs d'œufs.

Tapissez un moule à roulé de 33 x 23 cm de papier sulfurisé en le faisant dépasser légèrement des bords. Étalez la pâte dans le moule. Lissez la surface. Faites cuire 10 minutes dans un four préchauffé à 190 °C jusqu'à ce que la pâte ait bien gonflé et doré. Réduisez la température du four à 160 °C et poursuivez la cuisson 5 minutes jusqu'à ce que le dessus soit légèrement craquelé.

Recouvrez un torchon humide de papier sulfurisé. Saupoudrez le papier de sucre en poudre. Démoulez le gâteau encore chaud sur le papier sucré. Laissez refroidir 1 à 2 heures. Pendant ce temps, faites mijoter les abricots dans l'eau pendant 10 minutes. Laissez refroidir puis réduisez en purée lisse.

Retirez le papier sulfurisé du gâteau meringué. Nappez de purée d'abricots. Fouettez la crème fraîche, puis incorporez le fromage blanc. Étalez ce mélange sur la purée de fruits.

Enroulez le gâteau sur lui-même en partant d'un petit côté et servez-le en tranches épaisses.

douceurs glacées

tarte au citron vert et aux fruits de la passion

Pour **6 à 8 personnes**
Préparation **30 minutes**
+ réfrigération et congélation

100 g de **beurre doux**
2 c. à s. de **mélasse**
250 g de **biscuits sablés** émiettés
300 ml de **crème fraîche**
le **zeste** râpé et le **jus** de 3 **citrons verts**
400 g de **lait concentré**

Pour décorer
3 **fruits de la passion** coupés en deux
150 g de **myrtilles**

Faites chauffer le beurre et la mélasse dans une casserole. Ajoutez les biscuits et remuez soigneusement. Versez ce mélange dans un moule à bord amovible huilé de 23 cm de diamètre. Tassez bien. Placez au réfrigérateur pendant que vous préparez la garniture.

Fouettez la crème fraîche dans un saladier jusqu'à ce que des pointes souples se forment. Ajoutez le zeste de citron et le lait concentré. Mélangez délicatement puis ajoutez progressivement le jus de citron. Versez ce mélange dans le moule et placez 4 heures au réfrigérateur et si possible jusqu'au lendemain.

Avec un couteau à bout rond, décollez le gâteau des parois du moule puis démoulez sur un plat de service. Prélevez la pulpe des fruits de la passion, puis garnissez-en le gâteau. Parsemez de myrtilles. Laissez ramollir 30 minutes avant de servir.

Pour tarte au chocolat et à l'orange, préparez le fond de tarte comme ci-dessus, en utilisant des biscuits sablés au chocolat. Remplacez ensuite le zeste et le jus de citron par le zeste râpé et le jus d'une grosse orange. Faites prendre au congélateur, puis décorez avec 50 g de chocolat noir fondu (voir p. 11). Placez au congélateur jusqu'au moment de servir.

semifreddo au yaourt et aux pistaches

Pour **6 personnes**
Préparation **40 minutes**
+ refroidissement
et congélation
Cuisson **10 à 15 minutes**

4 **œufs**, blancs
et jaunes séparés
175 g de **sucre en poudre**
le **zeste** râpé
d'un **citron jaune**
1 ½ c. à c. d'**eau de rose**
(facultatif)
200 g de **yaourt grec**
½ **ananas** frais
coupé en tranches,
sans le cœur dur

Caramel aux pistaches
150 g de **sucre semoule**
6 c. à s. d'**eau**
100 g de **pistaches**
hachées grossièrement

Pour le caramel aux pistaches, faites chauffer le sucre et l'eau dans une poêle, en remuant de temps en temps. Quand le sucre est dissous, ajoutez les pistaches, augmentez le feu et faites bouillir le sirop 5 minutes sans remuer. Quand le sirop est doré, versez-le sur une plaque de cuisson huilée et laissez refroidir. Cassez le morceau de caramel en deux. Placez une moitié dans un sachet plastique et concassez le mélange avec un rouleau à pâtisserie.

Fouettez les blancs d'œufs en neige ferme, puis incorporez progressivement la moitié du sucre jusqu'à ce que le mélange devienne épais et satiné. Dans un bol, fouettez les jaunes d'œufs avec le reste de sucre jusqu'à ce que le mélange blanchisse et épaississe (on doit voir les traces du fouet). Incorporez le zeste de citron et l'eau de rose (facultatif), puis le yaourt, les pistaches concassées et enfin les blancs d'œufs. Versez la préparation dans un récipient en plastique et faites prendre 4 à 5 heures au congélateur. La glace doit être suffisamment ferme pour pouvoir faire des boules.

Faites cuire les tranches d'ananas sur un gril ou dans une poêle-gril bien chaude pendant 6 à 8 minutes, en les tournant une ou deux fois. Répartissez les tranches sur les assiettes, déposez des boules de semifreddo et décorez avec des éclats de caramel aux pistaches.

glace aux cerises et aux amandes

Pour **6 personnes**
Préparation **20 minutes**
+ refroidissement
et congélation
Cuisson **20 minutes**

150 ml de **lait**
50 g de **poudre d'amandes**
1 **œuf**
1 **jaune d'œuf**
75 g de **sucre en poudre**
2 à 3 gouttes d'**extrait d'amande**
500 g de **cerises** rouges
dénoyautées
ou de **compote de cerises**
25 g d'**amandes effilées**
150 ml de **crème fraîche**

Versez le lait et la poudre d'amandes dans une petite casserole, portez à ébullition, puis réservez.

Dans un bol, fouettez l'œuf entier, le jaune d'œuf et le sucre jusqu'à ce que le mélange blanchisse et épaississe. Ajoutez le lait aux amandes, puis posez le bol au-dessus d'une casserole d'eau frémissante. Remuez jusqu'à épaississement. Incorporez l'extrait d'amande et laissez refroidir.

Réduisez les cerises en purée dans un robot ou avec un mixeur (ou utilisez de la compote toute faite). Incorporez cette purée au mélange précédent.

Faites griller les amandes effilées à feu doux, dans une poêle à fond épais. Laissez refroidir.

Fouettez la crème fraîche jusqu'à ce que des pointes souples se forment, puis incorporez-la à la préparation aux cerises.

Versez le mélange dans un récipient en plastique, couvrez et faites prendre au congélateur en fouettant deux fois par heure. Incorporez les amandes effilées à la fin, quand vous fouetterez le mélange pour la dernière fois. (Si vous utilisez une sorbetière, versez la préparation aux cerises dans l'appareil, ajoutez la crème fraîche, mettez le barattage en marche et placez au congélateur. Une fois la glace prise, incorporez les amandes effilées). Servez ce dessert dans des coupelles.

dessert glacé aux abricots et au gingembre

Pour **6 personnes**
Préparation **25 minutes**
+ refroidissement
et congélation
Cuisson **10 minutes**

250 g d'**abricots secs**
300 ml d'**eau**
250 ml de **crème fraîche**
200 g de **fromage blanc** maigre
40 g de **sucre en poudre**
75 g (soit environ 4 morceaux) de **gingembre confit** égoutté et haché grossièrement
+ 2 c. à s. de **sirop** (jus du gingembre confit)
40 g de petites **meringues** prêtes à l'emploi

Mettez les abricots et l'eau dans une casserole. Couvrez et faites mijoter 10 minutes. Réduisez les abricots en purée lisse, avec le jus de cuisson, dans un robot ou avec un mixeur. Vous pouvez aussi presser le mélange à travers un tamis. Laissez refroidir.

Fouettez la crème fraîche jusqu'à ce que des pointes souples se forment. Incorporez délicatement le fromage blanc, le sucre, le gingembre haché et le sirop, puis ajoutez les meringues préalablement morcelées.

Chemisez un moule à pain (contenance 1 kg) avec 2 épaisseurs de film alimentaire, en faisant dépasser ce dernier au-dessus des bords. Remplissez le moule en alternant les couches de crème et de purée d'abricots. Tournez dans la préparation avec le manche d'une cuillère pour obtenir un effet marbré. Repliez le film alimentaire sur le dessus. Placez 6 heures au congélateur ou si possible jusqu'au lendemain (ou plus longtemps encore).

Dépliez le film alimentaire et laissez le dessert reposer 15 minutes à température ambiante afin qu'il ramollisse légèrement. Posez une planche à découper sur le moule puis retournez ce dernier. Retirez le moule et le film plastique.
Coupez en tranches épaisses et servez.

glace au chocolat

Pour **4 personnes**
Préparation **2 minutes**
+ refroidissement
et congélation
Cuisson **10 minutes**

300 ml de **crème fraîche**
2 c. à s. de **lait**
50 g de **sucre glace** tamisé
½ c. à c. d'**extrait de vanille**
125 g de **chocolat noir**
cassé en morceaux
2 c. à s. de **crème liquide**

Sauce au chocolat (facultatif)
150 ml d'**eau**
3 c. à s. de **sucre**
en poudre
150 g de **chocolat noir**
cassé en morceaux

Fouettez la crème fraîche et le lait dans un bol jusqu'à épaississement. Incorporez le sucre glace et l'extrait de vanille. Versez le mélange dans un récipient peu profond et placez 30 minutes au congélateur jusqu'à ce que la glace commence à prendre sur les côtés. (Cette glace ne peut être faite dans une sorbetière.)

Faites fondre le chocolat au bain-marie (voir p. 11) avec la crème liquide. Remuez jusqu'à ce que le mélange soit lisse puis laissez refroidir.

Sortez la glace du congélateur et transvasez-la dans un saladier. Incorporez le chocolat fondu en travaillant énergiquement le mélange avec une fourchette. Reversez la préparation dans le récipient en plastique, couvrez et faites prendre au congélateur. Déplacez la glace dans le réfrigérateur 30 minutes avant de servir pour qu'elle ramollisse légèrement.

Préparez la sauce (facultatif). Faites chauffer tous les ingrédients à feu doux, en remuant constamment. Quand le mélange est lisse, nappez-en aussitôt les boules de glace.

Pour une glace chocolat menthe, préparez la glace comme ci-dessus, en ajoutant 2 cuillerées à soupe de menthe fraîche ciselée au mélange crème-lait. Placez au congélateur, puis incorporez le chocolat fondu.

sorbet aux litchis et à la noix de coco

Pour **4 à 6 personnes**
Préparation **30 minutes**
+ congélation
Cuisson **2 à 4 minutes**

1 boîte (425 g) de **litchis au sirop**
50 g de **sucre en poudre**
400 ml de **lait de coco**
le **zeste** râpé et le **jus** d'un **citron vert**
coupelles en chocolat (voir ci-dessous) pour servir (facultatif)
3 **kiwis** pelés et coupés en quartiers + quelques languettes de peau pour décorer (facultatif)

Égouttez les litchis. Versez le sirop dans une casserole. Ajoutez le sucre et faites chauffer à feu doux jusqu'à ce que le sucre soit dissous. Faites bouillir 2 minutes, puis retirez la casserole du feu et laissez refroidir.

Mixez les litchis. Mélangez cette purée avec le lait de coco, le zeste et le jus de citron et le sirop refroidi.

Versez la préparation dans un récipient en plastique peu profond et faites prendre au congélateur. Au bout de 4 heures, fouettez le mélange avec une fourchette (ou mixez-le) jusqu'à ce qu'il soit lisse. Placez encore 4 heures au congélateur ou jusqu'au lendemain.

Laissez ramollir 15 minutes avant de servir puis faites des boules que vous déposerez dans des coupelles en chocolat (voir ci-dessous.) Décorez de kiwis (facultatif).

Pour confectionner des coupelles en chocolat, faites fondre 150 g de chocolat noir au bain-marie (voir p. 11). Répartissez le chocolat sur 4 carrés de papier sulfurisé. Étalez le chocolat de manière à obtenir 4 disques de 15 cm de diamètre. Posez chaque disque en chocolat, avec le papier, sur un verre étroit retourné, côté chocolat à l'extérieur. Faites prendre au réfrigérateur puis détachez chaque coupelle de son socle. Retirez délicatement le papier sulfurisé.

sorbet au melon

Pour **4 à 6 personnes**
Préparation **15 minutes**
+ congélation

1 **melon** cantaloup (1kg)
50 g de **sucre glace**
le **jus** d'un **citron vert**
ou d'un petit **citron jaune**
1 **blanc d'œuf**

Coupez le melon en deux. Retirez les graines avec une cuillère. Évidez la chair et jetez l'écorce.

Réduisez la chair du melon en purée avec le sucre glace et le jus de citron, dans un robot ou avec un mixeur. Versez cette purée dans un récipient en plastique, couvrez et placez 2 à 3 heures au congélateur. Si vous utilisez une sorbetière, versez la purée dans l'appareil, mettez le barattage en marche et placez au congélateur jusqu'à ce que le mélange soit à moitié pris.

Fouettez la préparation pour briser les cristaux de glace. Dans un saladier, fouettez le blanc d'œuf en neige ferme, puis incorporez-le à la préparation au melon. Remettez au congélateur jusqu'à ce que le sorbet soit pris.

Déplacez le sorbet dans le réfrigérateur 20 minutes avant de servir pour qu'il ramollisse légèrement ou prélevez directement des boules dans la sorbetière. Présentez les boules de sorbet dans des coupes en verre. Pour confectionner un dessert multicolore, préparez 3 sorbets différents avec du melon cantaloup, du melon à chair blanche et de la pastèque.

Pour une variante au gingembre, pelez et râpez finement un morceau de 2,5 cm de gingembre. Incorporez-le à la purée de melon. Présentez les boules de sorbet dans des petits verres. Arrosez avec un filet de vin de gingembre.

granité pastèque tequila

Pour **6 personnes**
Préparation **20 minutes**
+ infusion et congélation
Cuisson **2 minutes**

1 **gousse de vanille**
150 g de **sucre en poudre**
150 ml d'**eau**
2 kg de **pastèque**
2 c. à s. de **jus de citron**
4 c. à s. de **tequila**

Fendez la gousse de vanille en deux dans la longueur. Mettez-la dans une casserole avec le sucre et l'eau. Faites chauffer à feu doux jusqu'à ce que le sucre soit dissous, puis laissez infuser 20 minutes.

Coupez la pastèque en quartiers. Retirez l'écorce. Réduisez la chair en purée lisse, dans un robot ou avec un mixeur. Vous pouvez aussi la presser à travers un tamis.

Sortez la gousse du sirop et grattez les petites graines au-dessus de la casserole avec la pointe d'un couteau. Fouettez le mélange pour bien répartir les graines. Écartez la gousse.

Filtrez la purée de pastèque. Versez cette purée dans un récipient en plastique. Incorporez le sirop à la vanille, le jus de citron et la tequila. Placez 3 à 4 heures au congélateur. Fouettez le mélange avec une fourchette, puis remettez-le au congélateur pendant 2 à 3 heures. Répétez cette opération encore une ou deux fois jusqu'à obtention d'un mélange uniformément granuleux. Placez au congélateur jusqu'au moment de servir.

Avant de servir, tournez une dernière fois le mélange avec une fourchette pour briser les cristaux, puis répartissez le granité dans des verres hauts. Servez avec des cuillères à long manche.

granité à la menthe

Pour **6 personnes**
Préparation **20 minutes**
+ refroidissement
et congélation
Cuisson **4 minutes**

200 g de **sucre en poudre**
300 ml d'**eau**
+ un peu pour compléter
le **zeste** et le **jus**
de 3 **citrons jaunes**
25 g de **menthe fraîche**
+ quelques brins
pour décorer
sucre glace pour décorer

Versez le sucre et 300 ml d'eau dans une casserole. Ajoutez le zeste et le jus des citrons. Faites chauffer à feu doux. Quand le sucre est dissous, augmentez le feu et faites bouillir 2 minutes.

Détachez les feuilles de menthe des tiges. Ciselez-en une partie de manière à obtenir environ 3 cuillerées à soupe. Réservez. Mettez les feuilles les plus grosses et les tiges dans le sirop chaud. Laissez infuser 1 heure, pendant que le sirop refroidit.

Filtrez le sirop dans une carafe. Ajoutez la menthe ciselée et complétez avec de l'eau froide jusqu'à 600 ml. Versez le mélange dans un petit plat à gratin et placez 2 à 3 heures au congélateur.

Brisez les cristaux de glace avec une fourchette, puis remettez au congélateur pendant 2 à 3 heures. Répétez cette opération encore une ou deux fois jusqu'à ce que le mélange ait la consistance de la glace pilée. Répartissez le granité dans des petits verres. Décorez avec quelques brins de menthe saupoudrés de sucre glace ou laissez au congélateur pour une utilisation ultérieure. Dans ce cas, sortez le granité du congélateur 15 minutes avant de servir.

Pour une variante au pamplemousse, préparez un sirop comme ci-dessus, en supprimant le zeste de citron. Filtrez le jus de 4 pamplemousses dans le sirop, à la place du jus de citron, puis placez au congélateur comme ci-dessus.

glace au citron et au miel

Pour **4 à 6 personnes**
Préparation **20 à 25 minutes**
+ refroidissement
et congélation
Cuisson **2 minutes**

4 gros **citrons jaunes**
ou 6 moyens
environ 4 c. à s. d'**eau**
2 c. à s. de **miel liquide**
65 g de **sucre en poudre**
1 feuille de **laurier** fraîche
ou un brin de **citronnelle**
450 g de **yaourt nature**
ou de **fromage blanc**
quelques filaments
de **zeste de citron**
pour décorer

Avec un couteau tranchant, retirez une calotte sur le dessus des citrons, puis évidez-les soigneusement avec une petite cuillère. Jetez les pépins et les peaux. Réduisez la pulpe en purée, avec le jus, dans un robot ou avec un mixeur. Vous aurez besoin de 150 ml de jus. Si vous en récoltez moins, complétez avec de l'eau.

Versez 4 cuillerées à soupe d'eau dans une casserole avec le miel, le sucre et la feuille de laurier (ou la citronnelle). Faites chauffer à feu doux jusqu'à ce que le sucre soit dissous. Laissez refroidir. Ajoutez la purée de citron et le yaourt (ou le fromage blanc), et mélangez.

Versez la préparation dans un récipient en plastique peu profond et placez au congélateur. Quand la glace est partiellement congelée, remuez-la délicatement avec une fourchette, et retirez la feuille de laurier. Remettez au congélateur jusqu'à complet durcissement.

Déplacez la glace dans le réfrigérateur 20 minutes avant de servir. Décorez avec des filaments de zeste de citron et servez.

Pour des mandarines rôties, retirez l'écorce de 6 mandarines, puis posez-les entières sur un carré de papier aluminium. Coupez 50 g de beurre en 6 morceaux. Posez une parcelle de beurre sur chaque mandarine avec 1 cuillerée à café de sucre roux et une pincée de cannelle en poudre. Emballez chaque mandarine dans son carré d'aluminium, puis faites cuire 10 minutes dans un four préchauffé à 180 °C.

gâteau glacé au café et aux noisettes

Pour **6 personnes**
Préparation **25 minutes**
+ congélation
Cuisson **5 à 10 minutes**

1 c. à s. de **café instantané**
2 c. à s. d'**eau bouillante**
4 **jaunes d'œufs**
50 g de **sucre en poudre**
3 c. à s. de **glucose liquide**
300 ml de **crème fraîche**
100 g de **chocolat noir** cassé en morceaux
25 g de **noisettes grillées**, hachées grossièrement
4 c. à s. de **liqueur de café** pour décorer

Faites dissoudre le café dans l'eau bouillante. Mettez les jaunes d'œufs, le sucre et le glucose dans un grand récipient. Faites chauffer au bain-marie et fouettez pendant 5 à 10 minutes jusqu'à épaississement. Retirez le récipient du feu et plongez-le dans l'eau froide. Fouettez le mélange jusqu'à ce qu'il refroidisse. À part, fouettez la crème fraîche. Incorporez la crème fouettée au mélange œufs-sucre, puis ajoutez le café dissous.

Chemisez un moule carré peu profond de 20 cm avec du film alimentaire. Versez la préparation au café dans le moule et faites prendre 3 heures au congélateur.

Faites fondre le chocolat au bain-marie (voir p. 11). Étalez le chocolat fondu en couche mince et uniforme sur une plaque de cuisson recouverte de papier sulfurisé. Parsemez de noisettes hachées et faites prendre au réfrigérateur.

Démoulez la glace au café en tirant sur le film alimentaire. Coupez la glace en 3 bandes égales, puis coupez chaque bande en 4 rectangles. Découpez la plaque de chocolat aux noisettes en rectangles légèrement plus grands. Détachez les rectangles de chocolat du papier.

Assemblez 3 rectangles de chocolat et 2 tranches de glace sur chaque assiette. Décorez l'assiette avec un filet de liqueur de café. Servez aussitôt.

petites mousses glacées au chocolat

Pour **6 personnes**
Préparation **30 minutes**
+ refroidissement
et congélation
Cuisson **10 minutes**

250 g de **chocolat noir**
15 g de **beurre doux**
2 c. à s. de **glucose liquide**
3 c. à s. de **jus d'orange frais**
3 **œufs**, blancs et jaunes séparés
200 ml de **crème fraîche**

Faites des copeaux de chocolat en raclant le dessous du bloc de chocolat avec un épluche-légumes. Si les copeaux sont trop petits, passez le bloc 10 secondes au micro-ondes (puissance maximale) ou quelques instants dans un four traditionnel jusqu'à ce qu'il ait la consistance idéale. Quand vous avez suffisamment de copeaux pour décorer 6 pots de mousse, cassez le reste en morceaux (il doit vous rester 200 g de chocolat) et faites fondre (voir p. 11).

Incorporez le beurre et le glucose au chocolat fondu, puis ajoutez le jus d'orange. Incorporer ensuite un jaune d'œuf à la fois et remuez jusqu'à ce que le mélange soit lisse. Retirez la casserole du feu et laissez refroidir.

Fouettez les blancs d'œufs en neige souple. Fouettez la crème fraîche jusqu'à ce que des pointes souples se forment. Incorporez la crème fraîche, puis les blancs en neige, à la préparation au chocolat. Répartissez la mousse dans 6 tasses à café ou ramequins.

Faites prendre au congélateur pendant 4 heures ou jusqu'au lendemain. Décorez avec les copeaux de chocolat.

Pour une mousse chocolat café, faites fondre 200 g de chocolat noir. Ajoutez 15 g de beurre (supprimez le glucose liquide), 3 cuillerées à soupe de café noir corsé et 3 jaunes d'œufs. Incorporez ensuite 3 blancs d'œufs battus en neige ferme. Faites prendre 4 heures au réfrigérateur.

glace à la banane et au miel

Pour **4 à 6 personnes**
Préparation **15 minutes**
+ congélation et prise

500 g de **bananes**
2 c. à s. de **jus de citron**
3 c. à s. de **miel solide**
150 g de **yaourt nature**
100 g de **fruits secs** (amandes, noisettes, noix...) hachés
150 ml de **crème fraîche**
2 **blancs d'œufs**

Éclats de caramel
50 ml d'**eau**
170 g de **sucre en poudre**
2 c. à s. de **mélasse**
175 g d'**amandes grillées**

Écraser les bananes dans un bol avec le jus de citron jusqu'à obtention d'une purée lisse. Ajoutez le miel, puis le yaourt et les fruits secs. Mélangez soigneusement. Versez ce mélange et la crème fraîche dans une sorbetière. Mettez le barattage en marche et placez au congélateur jusqu'à ce que le mélange soit à moitié congelé. Vous pouvez aussi fouetter la crème fraîche jusqu'à ce que des pointes souples se forment et l'incorporer au mélange à la banane, verser le tout dans un récipient en plastique et placer 3 à 4 heures au congélateur (jusqu'à ce que la glace soit partiellement congelée).

Fouettez les blancs d'œufs en neige souple. Ajoutez-les dans la sorbetière et poursuivez le barattage. Placez au congélateur jusqu'à ce que la glace soit complètement prise. Si vous n'utilisez pas de sorbetière, morcelez le mélange avec une fourchette, puis incorporez les blancs d'œufs et remettez au congélateur.

Préparez les éclats de caramel. Versez l'eau dans une casserole à fond épais. Ajoutez le sucre et la mélasse. Laissez mijoter à feu doux jusqu'à ce que le sucre soit dissous, puis faites cuire afin d'obtenir un sirop caramélisé. Étalez les amandes grillées sur un morceau de papier aluminium légèrement huilé. Versez le caramel sur les amandes et laissez prendre 1 heure. Quand le caramel est dur, cassez la plaque en morceaux irréguliers que vous servirez avec la glace.

glace à la fraise en habit blanc

Pour **6 personnes**
Préparation **30 minutes**
+ congélation

750 ml de **glace à la fraise**
250 g de **chocolat blanc** cassé en morceaux
400 g de **framboises**

Chemisez 6 petits moules à bords droits (en porcelaine ou en métal) avec du film alimentaire. Pressez une épaisse couche de glace à la fraise dans le fond de chaque moule. Déposez 2 petites boules sur la couche épaisse. Placez 2 à 3 heures au congélateur.

Faites fondre le chocolat (voir p. 11). Découpez 6 bandes de papier sulfurisé de la circonférence des moules. La largeur des bandes doit dépasser la hauteur des moules de 2,5 cm. Étalez le chocolat sur les bandes de papier, en zigzaguant sur un des longs côtés.

Démoulez la glace en tirant sur le film plastique, puis retirez ce dernier. Enroulez une bande de chocolat autour d'une glace, de manière à ce que le chocolat touche la glace et que le papier soit à l'extérieur. Répétez l'opération avec les autres glaces. Remettez 2 heures au congélateur.

Réservez quelques framboises pour le décor et réduisez les autres en purée. Passez éventuellement cette purée au tamis. Versez un filet de coulis sur les assiettes. Sortez les glaces du congélateur et ôtez le papier. Posez une glace au centre de chaque assiette et décorez avec quelques framboises entières.

tarte au citron vert

Pour **8 personnes**
Préparation **30 minutes**
+ réfrigération
Cuisson **15 à 20 minutes**

200 g de **biscuits sablés** émiettés
4 c. à s. de **sucre en poudre**
6 c. à s. de **beurre doux** fondu
3 **œufs**, blancs et jaunes séparés
400 g de **lait concentré**
125 ml de **jus de citron vert** fraîchement pressé
1 c. à s. de **jus de citron jaune**
2 c. à c. de **zeste de citron vert** râpé

Garniture
250 ml de **crème fraîche**
1 c. à s. de **sucre glace**
extrait de vanille
quelques rondelles de **citron vert** pour décorer (facultatif)

Mélangez ensemble les biscuits émiettés, la moitié du sucre et le beurre fondu. Versez la préparation dans un moule à bord amovible huilé de 23 cm de diamètre. Tassez bien le mélange en le faisant remonter le long des parois. Placez au réfrigérateur pendant que vous préparez la crème au citron.

Fouettez légèrement les jaunes d'œufs jusqu'à ce qu'ils soient crémeux. Ajoutez le lait concentré, le jus des citrons et le zeste de citron vert. Fouettez jusqu'à ce que le mélange épaississe légèrement. Dans un saladier, fouettez les blancs d'œufs en neige ferme. Incorporez le reste de sucre et continuez de fouetter jusqu'à ce que des pointes souples se forment (voir p. 10). À l'aide d'une spatule métallique, incorporez délicatement les blancs en neige à la crème au citron.

Versez la crème au citron dans le moule. Lissez la surface. Faites cuire 15 à 20 minutes dans un four préchauffé à 160 °C, jusqu'à ce que la crème soit juste ferme et légèrement dorée. Lorsqu'elle est froide, placez la tarte au réfrigérateur pendant au moins 3 heures.

Fouettez la crème fraîche jusqu'à ce qu'elle commence à épaissir. Ajoutez le sucre glace et l'extrait de vanille, et continuez de fouetter jusqu'à épaississement. Étalez cette crème sur la tarte bien froide. Décorez avec les rondelles de citron vert (facultatif). Démoulez juste avant de servir et servez bien froid.

vite fait, bien fait

crêpes aux pommes cannelle et au chocolat

Pour **4 personnes**
Préparation **10 minutes**
Cuisson **7 à 8 minutes**

40 g de **beurre doux**
3 **pommes** coupées en tranches épaisses
2 grosses pincées de **cannelle**
4 **crêpes** prêtes à l'emploi d'environ 20 cm de diamètre
4 c. à s. de **pâte à tartiner** au chocolat et aux noisettes
sucre glace pour décorer

Faites fondre la moitié du beurre dans une grande poêle. Faites-y revenir les pommes pendant 3 à 4 minutes en retournant de temps en temps les pommes et jusqu'à ce qu'elles soient bien chaudes et légèrement dorées. Saupoudrez de cannelle.

Séparez les crêpes. Nappez-les de pâte à tartiner. Répartissez les pommes sur la moitié de chaque crêpe. Pliez les crêpes en deux.

Faites chauffer le reste de beurre dans la poêle, et faites chauffer les crêpes 2 minutes de chaque côté. Posez les crêpes sur les assiettes, saupoudrez de sucre glace tamisé et servez.

Pour une variante pêche melba, remplacez les pommes par 2 grosses pêches coupées en tranches épaisses. Supprimez la cannelle. Nappez les crêpes de confiture de framboises (4 cuillerées à soupe). Ajoutez les pêches, pliez les crêpes en deux, puis réchauffez-les dans la poêle. Décorez avec des framboises fraîches, saupoudrez de sucre glace et servez avec une boule de glace.

pêches pochées aux framboises

Pour **6 personnes**
Préparation **15 minutes**
Cuisson **25 minutes**

250 ml d'**eau**
150 ml de **Marsala** ou de **xérès doux**
75 g de **sucre en poudre**
1 **gousse de vanille**
6 **pêches** coupées en deux et dénoyautées
150 g de **framboises** fraîches

Versez l'eau, le Marsala (ou le xérès) et le sucre dans une casserole. Fendez la gousse de vanille en deux et grattez les petites graines au-dessus de la casserole. Ajoutez la gousse. Faites chauffer à feu doux jusqu'à ce que le sucre soit dissous.

Disposez les moitiés de pêches dans un plat à gratin. Arrosez-les avec le sirop chaud, couvrez et faites cuire 20 minutes dans un four préchauffé à 180 °C.

Ajoutez les framboises dans le plat. Servez ce dessert chaud ou froid. Répartissez les fruits dans des bols et décorez avec des éclats de gousse de vanille.

Pour une variante aux pruneaux, préparez le sirop comme ci-dessus. Remplacez les pêches par 250 g de pruneaux dénoyautés. Couvrez et faites cuire comme ci-dessus. Servez chaud, avec de la crème fraîche et 4 biscuits amaretti morcelés.

sundae au tamarin et à la mangue

Pour **4 personnes**
Préparation **10 minutes**
+ refroidissement
Cuisson **8 minutes**

25 g de **pâte de tamarin**
75 g de **sucre de canne blond**
2 c. à s. de **mélasse**
le **zeste** râpé et le **jus** d'un **citron vert** + quelques filaments de zeste pour décorer (facultatif)
150 ml d'**eau**
2 c. à c. de **fécule de maïs**
15 g de **beurre doux**
1 grosse **mangue** dénoyautée, pelée et coupée en lamelles
12 boules de **glace vanille**

Mettez la pâte de tamarin, le sucre et la mélasse dans une petite casserole. Ajoutez le zeste et le jus de citron, ainsi que l'eau. Portez à ébullition en remuant jusqu'à ce que le sucre soit dissous. Laissez frémir 5 minutes.

Délayez la fécule dans un fond d'eau. Versez la fécule dans la casserole avec le beurre. Portez à nouveau à ébullition et faites chauffer, en remuant, jusqu'à épaississement. Laissez refroidir 10 minutes.

Répartissez les lamelles de mangue et les boules de glace dans 4 coupes. Arrosez de sauce au tamarin et décorez avec quelques filaments de zeste de citron (facultatif). Servez le reste de sauce à part.

Pour une variante à la banane et au yaourt, préparez la sauce au tamarin comme ci-dessus. Laissez refroidir complètement. Coupez 3 bananes en morceaux, puis mélangez-les avec 400 g de yaourt grec. Ajoutez la sauce au tamarin et mélangez brièvement pour obtenir un effet marbré. Répartissez dans des coupes et servez.

pain perdu aux fruits rouges

Pour **4 personnes**
Préparation **10 minutes**
Cuisson **10 minutes**

4 épaisses **tranches de brioche**
2 **œufs**
6 c. à s. de **lait**
50 g de **beurre doux**
150 g de **yaourt grec**
250 g de **framboises**
100 g de **myrtilles**
sucre glace ou **sirop d'érable** pour décorer

Coupez chaque tranche de brioche en 2 triangles. Battez les œufs et le lait dans une assiette creuse.

Faites chauffer la moitié du beurre dans une poêle. Plongez brièvement les tranches de brioche dans le mélange œufs-lait, puis faites-en revenir plusieurs dans la poêle. Faites cuire à feu modéré jusqu'à ce que le dessous soit doré. Tournez les tranches et faites-les cuire de l'autre côté. Réservez au chaud pendant que vous faites cuire les autres tranches.

Faites fondre le reste de beurre dans la poêle. Faites cuire les autres tranches de brioche.

Disposez 2 triangles sur chaque assiette. Déposez des cuillerées de yaourt à côté des tranches. Parsemez de fruits rouges et saupoudrez de sucre glace (ou arrosez avec un filet de sirop d'érable). Servez aussitôt.

Pour une variante à la cannelle et aux abricots, faites mijoter 150 g d'abricots secs avec le jus d'une orange et 125 ml d'eau pendant 10 minutes jusqu'à ce que les abricots soient fondants. Coupez 4 tranches de brioche (ou de pain aux fruits secs) en deux. Mélangez les œufs et le lait comme ci-dessus, avec ¼ de cuillerée à café de cannelle en poudre. Plongez les tranches dans le mélange œufs-lait et faites cuire comme ci-dessus. Disposez les tranches sur les assiettes avec 150 g de yaourt grec et la compote d'abricots réchauffée.

salade de fruits verts

Pour **6 personnes**
Préparation **15 minutes**

300 g de grains de **raisin blanc** sans pépins, coupés en deux
4 **kiwis** pelés, coupés en quatre puis en tranches
2 **poires** mûres pelées et coupées en morceaux
4 **fruits de la passion** coupés en deux
4 c. à s. de **sirop de fleurs de sureau**
4 c. à s. d'**eau**
300 g de **yaourt grec**
2 c. à s. de **miel liquide**

Mettez les grains de raisin, les kiwis et les poires dans un saladier. Avec une petite cuillère, prélevez la pulpe de 3 fruits de la passion. Mélangez 2 cuillerées à soupe de sirop de sureau avec 4 cuillerées à soupe d'eau. Arrosez la salade de fruits. Remuez délicatement et répartissez dans 6 verres.

Versez le sirop de sureau restant dans le yaourt, puis incorporez le miel. Versez ce mélange dans les verres. Décorez avec le reste de pulpe de fruits de la passion et servez.

Pour une salade de fruits rouges, mélangez 300 g de grains de raisin noir sans pépins, coupés en deux, avec 150 g de framboises fraîches et 150 g de fraises coupées en lamelles. Prélevez les graines d'une demi-grenade et parsemez-en la salade de fruits. Arrosez avec 6 cuillerées à soupe de jus de raisin noir. Déposez dans les verres un mélange de yaourt et de miel (supprimez le sirop de sureau). Décorez avec quelques graines de grenade.

omelette soufflée sucrée

Pour **4 personnes**
Préparation **15 minutes**
Cuisson **10 minutes**

375 g de **fraises** équeutées et coupées en morceaux + quelques-unes pour décorer
2 c. à s. de **gelée de groseilles**
2 c. à c. de **vinaigre balsamique**
5 **œufs**, blancs et jaunes séparés
4 c. à s. de **sucre glace** tamisé
25 g de **beurre doux**

Faites chauffer les fraises, la gelée de groseilles et le vinaigre dans une petite casserole jusqu'à ce que la gelée soit fluide.

Pendant ce temps, fouettez les blancs d'œufs en neige ferme. Dans un bol, fouettez les jaunes avec 1 cuillerée à soupe de sucre glace. Incorporez ce mélange aux blancs d'œufs.

Faites chauffer le beurre dans une grande poêle. Versez-y la préparation, et faites cuire 3 à 4 minutes à feu moyen jusqu'à ce que le dessous soit doré. Glissez l'omelette sous un gril en vous assurant que le manche de la poêle est bien éloigné de la source de chaleur. Faites griller 2 à 3 minutes jusqu'à ce que le dessous soit doré. Le centre doit rester moelleux.

Versez les fraises chaudes sur l'omelette. Pliez cette dernière en deux. Saupoudrez de sucre glace. Coupez l'omelette en quatre, décorez avec quelques fraises entières et servez aussitôt.

Pour une variante aux pêches et aux myrtilles, faites chauffer dans une casserole 2 pêches mûres coupées en tranches, 100 g de myrtilles, 2 cuillerées à soupe de gelée de groseilles et 2 cuillerées à soupe de jus de citron. Préparez l'omelette soufflée comme ci-dessus. Versez les fruits chauds sur l'omelette et servez aussitôt.

tiramisu au chocolat blanc et aux framboises

Pour **6 personnes**
Préparation **20 minutes**

3 c. à c. rases
de **café instantané**
7 c. à s. de **sucre glace**
250 ml d'**eau bouillante**
environ 100 g de **biscuits à la cuillère**
250 g de **mascarpone**
150 ml de **crème fraîche**
3 c. à s. de **kirsch** (facultatif)
250 g de **framboises** fraîches
75 g de **chocolat blanc** râpé

Mettez le café instantané et 4 cuillerées à soupe de sucre glace dans une assiette creuse. Ajoutez l'eau bouillante et mélangez jusqu'à ce que le café soit dissous. Plongez 6 biscuits dans le mélange (un biscuit à la fois) puis morcelez-les dans 6 verres.

Mélanger le mascarpone et le reste de sucre glace dans un saladier. Incorporez progressivement la crème jusqu'à obtention d'un mélange lisse. Ajoutez le kirsch (facultatif), puis répartissez la moitié de ce mélange dans les verres.

Morcelez la moitié des framboises dans les verres, sur la crème au mascarpone. Répartissez la moitié du chocolat blanc râpé sur les framboises. Plongez les biscuits restants dans le mélange au café. Morcelez les biscuits et répartissez-les dans les verres. Finissez avec le reste de crème au mascarpone. Décorez avec les framboises restantes (entières cette fois) et parsemez de chocolat râpé. Servez aussitôt ou placez au réfrigérateur jusqu'au moment de servir.

Pour un tiramisu classique, supprimez les framboises et le chocolat blanc. Mélangez le mascarpone avec la crème fraîche et 3 cuillerées à soupe de kahlua (liqueur de café) ou de cognac. Dans un grand plat en verre, alternez les couches de crème au mascarpone, de biscuits imbibés au café et de chocolat noir râpé (75 g).

dessert au yaourt et à la banane

Pour **4 personnes**
Préparation **5 minutes**
+ repos

2 **bananes** mûres
le **jus** d'½ **citron jaune**
15 g de **gingembre confit**, finement haché + quelques languettes pour décorer
150 g de **yaourt nature** maigre
8 c. à c. de **cassonade**

Tournez les bananes dans le jus de citron, puis écrasez-les avec une fourchette. Ajoutez le gingembre et le yaourt. Mélangez. Répartissez un tiers de ce mélange dans 4 petits verres.

Saupoudrez le mélange de cassonade (1 cuillerée à café par verre). Poursuivez avec une deuxième couche de yaourt à la banane, puis une cuillerée de cassonade. Finissez avec le reste de yaourt et décorez avec quelques languettes de gingembre confit.

Laissez reposer 10 à 15 minutes jusqu'à ce que le sucre soit dissous et qu'il forme une couche sirupeuse entre les couches de yaourt à la banane. Servez éventuellement des biscuits fins en accompagnement.

Pour une variante aux bananes, aux abricots et à la cardamome, mettez 100 g d'abricots secs, 150 ml d'eau et les graines de 2 gousses de cardamome dans une casserole (mettez aussi les gousses). Couvrez et faites cuire 10 minutes jusqu'à ce que les abricots soient moelleux. Retirez les gousses de cardamome, puis réduisez le mélange en purée avec 3 cuillerées à soupe de jus d'orange frais. Laissez refroidir, puis alternez les couches de ce mélange avec le yaourt à la banane, comme ci-dessus. Servez aussitôt.

gratin de fruits d'été

Pour **4 personnes**
Préparation **10 minutes**
Cuisson **20 minutes**

2 **pêches** mûres dénoyautées et coupées en tranches
4 **prunes rouges** mûres dénoyautées et coupées en tranches
150 g de **framboises** et de **mûres** (ou bien que des framboises)
200 g de **mascarpone**
4 c. à s. de **sucre en poudre**
2 c. à s. de **crème fraîche**
le **zeste** râpé d'un **citron vert**

Disposez tous les fruits dans un plat à gratin peu profond. Mélangez le mascarpone avec 2 cuillerées à soupe de sucre en poudre, la crème fraîche et le zeste de citron. Répartissez ce mélange sur les fruits en une couche uniforme.

Saupoudrez le dessus avec le reste de sucre. Posez le plat sur une plaque de cuisson et faites cuire 15 minutes dans un four préchauffé à 190 °C jusqu'à ce que le mascarpone ait fondu et que le dessus soit caramélisé. Servez aussitôt.

Pour une variante aux fruits exotiques, disposez les tranches d'une grosse mangue dans le fond d'un plat à gratin avec 1 papaye en morceaux et 150 g de myrtilles. Répartissez le mélange au mascarpone sur les fruits et faites cuire comme ci-dessus.

pommes au four et crumble de flocons d'avoine

Pour **4 personnes**
Préparation **15 minutes**
Cuisson **20 à 25 minutes**

4 **pommes**
75 g de **raisins secs**
4 c. à s. de **mélasse**
6 c. à s. de **jus de pomme** ou d'**eau**
50 g de **farine** ordinaire
50 g de **flocons d'avoine**
50 g de **sucre de canne blond**
50 g de **beurre doux** à température ambiante, coupé en dés
2 c. à s. de **graines de tournesol**
2 c. à s. de **graines de sésame**

Retirez le trognon des pommes, coupez-les en deux, puis disposez ces dernières dans un plat à gratin peu profond, côté coupé vers le haut. Répartissez les raisins sur les pommes en les tassant bien dans le creux laissé par le trognon. Arrosez avec 2 cuillerées à soupe de mélasse puis versez le jus de pomme (ou l'eau) dans le fond du plat.

Mettez la farine, les flocons d'avoine, le sucre et le beurre dans un saladier. Travaillez le mélange du bout des doigts jusqu'à ce qu'il devienne granuleux. Ajoutez les graines de tournesol et de sésame. Répartissez cette préparation sur les pommes. Arrosez avec le reste de mélasse.

Faites cuire 20 à 25 minutes dans un four préchauffé à 180 °C jusqu'à ce que le crumble soit doré et que les pommes soient fondantes. Servez chaud accompagné de glace à la vanille ou de crème fraîche.

Pour une variante aux prunes et au muesli, coupez 10 prunes en deux et disposez-les dans un plat à gratin, côté coupé vers le haut. Arrosez avec 2 cuillerées à soupe de miel. Versez 6 cuillerées à soupe de jus de raisin ou d'eau dans le fond du plat. Préparez le crumble en remplaçant les flocons d'avoine et les graines de tournesol et de sésame par 75 g de muesli. Faites cuire au four comme ci-dessus et servez.

salade de fruits tiède caribéenne

Pour **4 personnes**
Préparation **15 minutes**
Cuisson **6 à 7 minutes**

50 g de **beurre doux**
50 g de **sucre de canne blond**
1 grosse **papaye** pelée et coupée en tranches
1 grosse **mangue** pelée et coupée en tranches
½ **ananas** pelé et coupé en morceaux (sans le cœur dur)
400 ml de **lait de coco**
le **zeste** râpé et le **jus** d'un **citron vert**

Faites chauffer le beurre dans une grande poêle. Ajoutez le sucre et faites chauffer à feu doux jusqu'à ce que le sucre soit juste dissous. Mettez tous les fruits dans la poêle et faites cuire 2 minutes. Versez le lait de coco, le jus de citron et la moitié du zeste.

Faites chauffer à feu doux pendant 4 à 5 minutes. Répartissez cette salade de fruits chaude dans des bols, parsemez de zeste de citron et servez aussitôt.

Pour une variante flambée, remplacez le lait de coco par 3 cuillerées à soupe de rhum blanc ou brun (vieux). Quand le rhum bouillonne, enflammez-le avec une longue allumette. Tenez-vous à l'écart. Quand les flammes ont disparu, ajoutez le zeste et le jus de citron. Servez avec de la glace à la vanille.

petites omelettes norvégiennes

Pour **4 personnes**
Préparation **15 minutes**
+ congélation
Cuisson **5 minutes**

4 tranches de **gâteau roulé** à la confiture ou 4 petits **disques de génoise** (100 g en tout)
4 boules de **glace à la vanille et à la fraise** (ou de la glace vanille uniquement)
2 **blancs d'œufs**
50 g de **sucre en poudre**
175 g de **fruits rouges** surgelés, juste décongelés ou réchauffés dans une petite casserole

Disposez les tranches de gâteau roulé (ou les disques de génoise) sur une plaque de cuisson, bien espacées les unes des autres. Posez une boule de glace sur chaque tranche, puis placez 10 minutes au congélateur (ou plus longtemps si vous avez le temps).

Fouettez les blancs d'œufs en neige ferme dans un grand saladier. Incorporez progressivement le sucre, une cuillerée à café à la fois, et continuez de fouetter pendant quelques minutes, jusqu'à ce que le mélange devienne épais et satiné (voir p. 10).

Sortez les tranches de gâteau et la glace du congélateur puis recouvrez-les entièrement de blanc d'œuf. Faites cuire 5 minutes dans un four préchauffé à 200 °C jusqu'à ce que la meringue soit cuite, que les pointes soient dorées et que la glace commence à ramollir.

Déposez les petites omelettes norvégiennes sur des assiettes. Répartissez les fruits rouges et servez aussitôt.

Pour une variante façon cappuccino, remplacez le roulé à la confiture par un roulé au chocolat (sans nappage extérieur au chocolat). Déposez une boule de glace au café sur chaque tranche puis nappez de meringue comme ci-dessus. Dès la sortie du four, saupoudrez légèrement de cacao en poudre tamisé et servez aussitôt.

clémentines caramélisées au laurier

Pour **4 personnes**
Préparation **10 minutes**
Cuisson **12 minutes**

250 g de **sucre semoule**
250 ml d'**eau froide**
8 **clémentines**
4 petites **feuilles de laurier** fraîches
6 c. à s. d'**eau bouillante**

Versez le sucre et l'eau froide dans une casserole. Faites chauffer à feu doux, en remuant de temps en temps, jusqu'à ce que le sucre soit complètement dissous.

Pendant ce temps, pelez les clémentines, puis posez-les dans un saladier en verre avec les feuilles de laurier.

Augmentez le feu dès que le sucre est dissous et faites bouillir, sans remuer, le sirop pendant 8 à 10 minutes. Surveillez la cuisson de près. Le sirop changera progressivement de couleur pour devenir uniformément doré.

Retirez la casserole du feu. Ajoutez l'eau bouillante, une cuillerée à soupe à la fois, en restant bien à l'écart pour éviter les projections. Inclinez la casserole pour mélanger (ne remuez pas la préparation avec un ustensile). Dès que les bouillons ont cessé, versez le sirop chaud sur les clémentines et les feuilles de laurier. Laissez refroidir, puis servez avec de la crème fraîche

Pour une variante épicée, remplacez les feuilles de laurier par 2 étoiles d'anis (entières ou en morceaux), 1 bâton de cannelle cassé en deux et 3 clous de girofle. Préparez le sirop comme ci-dessus, puis versez-le sur les épices et les clémentines.

poires au vin parfumé d'épices

Pour **6 personnes**
Préparation **10 minutes**
Cuisson **12 minutes**

300 ml de **vin rouge** bon marché
200 ml d'**eau**
le **zeste** et le **jus** d'une **orange**
1 **bâton de cannelle** cassé en gros morceaux
6 **clous de girofle**
2 petites feuilles de **laurier** fraîches
75 g de **sucre en poudre**
6 **poires**
3 c. à c. de **fécule de maïs**

Versez le vin et l'eau dans une casserole suffisamment grande pour contenir les 6 poires. Taillez le zeste d'orange en filaments, puis ajoutez-le dans la casserole avec le jus d'orange, la cannelle, les clous de girofle, les feuilles de laurier et le sucre. Faites chauffer à feu doux jusqu'à ce que le sucre soit dissous.

Pelez les poires sans abîmer les tiges puis déposez-les dans la casserole. Laissez mijoter 10 minutes à feu doux en tournant régulièrement les poires pour qu'elles cuisent et se colorent uniformément.

Retirez les poires de la casserole et posez-les sur une assiette. Délayez la fécule dans un fond d'eau, puis versez-la dans la casserole. Portez à ébullition en remuant jusqu'à épaississement. Remettez les poires dans la casserole et laissez refroidir.

Présentez les poires dans des coupelles et nappez de sirop. Dégustez-les avec de la crème fraîche.

Pour des pommes au cidre, remplacez le vin par du cidre doux. Mélangez le cidre, le zeste et le jus d'orange, les épices et le sucre comme ci-dessus (supprimez les feuilles de laurier). Pelez 6 pommes, coupez-les en quatre et ôtez le trognon. Quand le sucre est dissous, mettez les quartiers de pommes dans la casserole. Laissez mijoter 5 minutes jusqu'à ce que les pommes commencent à devenir tendres, puis faites épaissir le sirop avec de la fécule comme ci-dessus. Servez les pommes nappées de sirop.

figues caramélisées au miel et yaourt

Pour **4 personnes**
Préparation **10 minutes**
Cuisson **10 minutes**

8 **figues** fraîches rincées à l'eau froide
environ 3 c. à c. d'**eau de rose**
4 c. à s. de **miel liquide**
50 g de **beurre doux**
250 g de **yaourt grec**
quelques **loukoums** hachés grossièrement

Réalisez une profonde entaille en forme de croix dans les figues. Écartez légèrement les quartiers de figues, puis posez ces dernières dans un petit plat à gratin. Versez quelques gouttes d'eau de rose sur chaque figue, puis arrosez avec 3 cuillerées à soupe de miel. Parsemez de parcelles de beurre.

Faites cuire 8 à 10 minutes dans un four préchauffé à 190 °C jusqu'à ce que les figues soient chaudes mais encore fermes. Pendant ce temps, mélangez le yaourt avec le reste de miel. Incorporez progressivement de l'eau de rose selon votre goût.

Disposez les figues dans des coupelles. Servez en accompagnement des cuillerées de yaourt parsemé de petits morceaux de loukoums.

Pour une variante aux abricots et aux pistaches, disposez 12 abricots frais coupés en deux dans un plat à gratin. Versez quelques gouttes d'eau de fleur d'oranger sur chaque moitié d'abricot, puis arrosez avec 3 cuillerées à soupe de miel. Parsemez de pistaches (40 g) et de parcelles de beurre (50 g). Faites cuire comme ci-dessus. Servez en accompagnement 250 g de yaourt grec parfumé avec 1 cuillerée à soupe de miel et de l'eau de fleur d'oranger selon votre goût.

fondue au chocolat blanc et aux fruits frais

Pour **4 personnes**
Préparation **10 minutes**
Cuisson **5 minutes**

200 g de **chocolat blanc** de qualité cassé en morceaux
300 ml de **crème fraîche**
2 c. à s. de **kirsch**
2 **pêches** coupées en morceaux
250 g de grosses **framboises**
375 g de **fraises** coupées en deux
une petite grappe de **raisin** sans pépins

Faites fondre le chocolat et la crème fraîche au bain-marie (voir p. 11). Ajoutez le kirsch.

Répartissez les fruits sur 4 assiettes. Proposez des brochettes ou des fourchettes pour piquer les fruits.

Posez le caquelon de chocolat fondu sur son réchaud. Plongez-y les fruits. Vous pouvez aussi répartir le chocolat fondu dans des petits pots individuels.

Pour une fondue au chocolat noir et à la vanille, faites chauffer 200 g de chocolat noir avec 300 ml de crème fraîche, 4 cuillerées à soupe de sucre de canne blond et 1 cuillerée à café d'extrait de vanille en remuant jusqu'à ce que le mélange soit lisse. Servez la fondue avec 2 pêches et 2 pommes rouges coupées en morceaux et 125 g de marshmallows.

sabayon gratiné aux fraises

Pour **4 personnes**
Préparation **10 minutes**
Cuisson **10 minutes**

500 g de **fraises** coupées en deux ou en quatre si elles sont grosses
3 **jaunes d'œufs**
50 g de **sucre en poudre**
6 c. à s. de **xérès** sec ou doux
4 c. à c. de **sucre glace**

Répartissez les fraises dans 4 petits moules (contenance 300 ml). À défaut, vous pouvez utiliser un grand moule (contenance 1,2 l).

Mettez les jaunes d'œufs, le sucre et 4 cuillerées à soupe de xérès dans un saladier posé au-dessus d'une casserole d'eau frémissante. Faites chauffer en fouettant continuellement pendant 5 minutes à l'aide d'un batteur électrique (ou d'un batteur manuel) jusqu'à ce que le mélange soit très épais et mousseux.

Ajoutez le reste de xérès et poursuivez la cuisson quelques minutes jusqu'à épaississement. Répartissez ce mélange sur les fraises. Saupoudrez de sucre glace tamisé.

Passez 3 à 4 minutes sous le gril du four (préchauffé) jusqu'à ce que le dessus soit doré. Vous pouvez aussi utiliser un chalumeau. Servez aussitôt.

Pour une variante framboise raisin kiwi, répartissez 125 g de framboises fraîches, 125 g de grains de raisin noir ou blanc coupés en deux, et 2 kiwis pelés et coupés en morceaux dans 4 verres. Préparez le sabayon, comme ci-dessus, en remplaçant le xérès par 6 cuillerées à soupe de vin blanc sec. Versez le sabayon sur les fruits, mais ne faites pas caraméliser.

crème aux myrtilles caramélisées

Pour **6 personnes**
Préparation **10 minutes**
Cuisson **5 minutes**

150 g de **sucre semoule**
3 c. à s. d'**eau froide**
2 c. à s. d'**eau bouillante**
150 g de **myrtilles** fraîches
400 g de **fromage blanc**
425 g de **crème pâtissière** prête à l'emploi

Versez le sucre et l'eau froide dans une poêle. Faites chauffer à feu doux en remuant de temps en temps jusqu'à ce que le sucre soit complètement dissous. Portez à ébullition et faites cuire 3 à 4 minutes sans remuer jusqu'à ce que le sirop commence à dorer.

Ajoutez l'eau bouillante en restant bien à l'écart pour éviter les projections. Mélangez en inclinant la poêle. Ajoutez les myrtilles et poursuivez la cuisson 1 minute. Retirez la casserole du feu et laissez refroidir légèrement.

Mélangez le fromage blanc et la crème pâtissière. Répartissez ce mélange dans des coupelles. Nappez de myrtilles. Servez aussitôt, éventuellement avec des petites meringues.

Pour une variante aux bananes, préparez le caramel comme ci-dessus. Remplacez les myrtilles par 2 bananes coupées en rondelles. Nappez la crème de bananes caramélisées. Décorez avec un peu de chocolat noir râpé.

dessert rafraîchissant aux agrumes

Pour **4 personnes**
Préparation **10 minutes**
Cuisson **6 à 7 minutes**

150 ml de **jus d'orange** bien froid
150 ml d'**eau**
125 g de **sucre en poudre**
le **jus** d'½ **citron jaune**
2 **pamplemousses roses**
4 **oranges** (un mélange d'oranges classiques et sanguines, si possible)
1 **melon**
½ **grenade**

Versez le jus d'orange et l'eau dans une casserole. Ajoutez le sucre et faites chauffer 5 minutes à feu doux jusqu'à obtention d'un mélange sirupeux. Hors du feu, ajoutez le jus de citron.

Pelez les pamplemousses à vif avec un petit couteau bien tranchant. Tenez les fruits au-dessus d'un saladier puis prélevez les quartiers en les détachant de la peau. Pelez les oranges à vif et détachez les quartiers.

Coupez le melon en deux, retirez les pépins et l'écorce, puis coupez la chair en petits morceaux. Ajoutez-les dans le saladier. Versez le sirop sur les fruits. Parsemez de graines de grenade puis placez au réfrigérateur jusqu'au moment de servir.

Pour une variante orange figues, préparez le sirop comme ci-dessus. Remplacez les pamplemousses par 2 oranges supplémentaires. Pelez 4 figues et coupez-les en quartiers. Mélangez-les aux oranges. Ajoutez le sirop de sucre et parsemez de feuilles de menthe fraîches. Servez bien froid.

bananes grillées

Pour **4 personnes**
Préparation **5 minutes**
Cuisson **10 minutes**

4 **bananes**
4 c. à s. de **rhum** (ou d'amaretto, de cognac ou de xérès)
le **zeste** râpé d'un **citron vert**

Pour accompagner
4 boules de **glace vanille**
8 **macarons** morcelés

Faites cuire les bananes au barbecue, sans les peler, pendant 8 à 10 minutes jusqu'à ce que les braises soient moins vives, que la peau des bananes soit noire et la chair fondante. Vous pouvez aussi les faire cuire dans un four préchauffé à 200 °C, pendant 8 à 10 minutes.

Fendez la peau des bananes dans la longueur. Présentez chaque banane sur une assiette, dans sa peau ouverte. Versez le rhum sur la chair et parsemez de zeste de citron. Servez aussitôt avec de la glace vanille et des macarons morcelés.

Pour une variante jamaïcaine en robe des champs, pelez 4 bananes, coupez-les en deux dans la longueur et posez-les sur 4 morceaux de papier aluminium. Parsemez de beurre doux (40 g), saupoudrez de sucre de canne blond (2 cuillerées à soupe), arrosez avec le jus d'un citron vert et 2 cuillerées à soupe de rhum. Emballez les bananes bien hermétiquement dans l'aluminium. Faites cuire 5 à 8 minutes au barbecue, jusqu'à ce que les bananes soient fondantes. Servez chaud avec de la glace vanille.

annexe

table des recettes

douceurs d'hiver

pâtisseries, tourtes et tartes

irrésistibles gourmandises

douceurs glacés

vite fait, bien fait

découvrez toute la collection

SIMPLE
PRATIQUE
BON

POUR CHAQUE RECETTE,
UNE VARIANTE
EST PROPOSÉE.